essen & trinken

JOHANN LAFERS

FRISCHE REGIONALE KÜCHE

Genießen auf gut deutsch

Das Buch zur erfolgreichen ZDF-3sat-Serie
mit Rezepten von Johann Lafer
und der »essen & trinken«-Versuchsküche

INHALT

Johann Lafer kocht in der TV-Serie zeitgemäße Gerichte, die auf Produkte und Rezepturen aus den dreißig schönsten deutschen Eßlandschaften zurückgehen. Sie sind im Buch bebildert. Einige der Rezepte, die in der Serie auf einem Büffet vorgestellt wurden, finden Sie in diesem Buch unter dem Stichwort „Klassiker". Viel Spaß beim Kochen und Ausprobieren.

Die Buchmacher: Johann Lafer, Fotograf Richard Stradtmann, Murmel Schult und Achim Ellmer aus der »E&T«-Versuchsküche, Stylist Günther Meierdierks, Assistentin Svenja Zapfe, Gerd Giese und Jürgen Pengel fürs Layout und Autorin Renate Peiler (v. l. n. r.)

WENN KOCHEN FERN

Einen ganzen Monat waren Europas erfolgreichste Eßzeitschrift und der beliebteste Fernsehkoch der Nation zusammen in der Studioküche, um eine 30teilige TV-Serie zu erkochen, die sich mit der leichten, frischen Küche in Deutschlands schönsten Eßlandschaften beschäftigt. »E&T«-Reporterin Annegret Stegmann war dabei

Mit einem schnellen Blick prüft Johann Lafer noch einmal die Mise en place von Schüsselchen mit Zwiebeln, Mehl und Butter, die vor ihm auf dem Kochblock stehen, während Tontechniker Loos ihm das verrutschte Mikro wieder befestigt. Maskenbildnerin Jutta Magdorf tupft dem Prinzen schnell noch die Schweißperlen von der Stirn, Chef-Kameramann Jindrich Brösler brüllt seinen Lichttechnikern letzte Anweisungen zu, weil ihn ein Lichtreflex auf Lafers Gesicht stört. „Sind wir fertig?" fragt Regisseur Manuel Kock unerschütterlich freundlich aus dem Ü-Wagen. (Der Mann scheint Nerven wie Drahtseile zu haben!) „Ruhe bitte!" ruft Aufnahmeleiterin Stefanie Schäfer, „MAZ ab!" Es wird mäuschenstill im Studio. Johann Lafer setzt sein charmantestes Lächeln auf, blickt seinen imaginären Zuschauern (beziehungsweise Kamera 4) tief in die Augen und stellt seinen heutigen Gast vor: den Erbprinzen Eduard von Anhalt aus Ballenstedt im Ostharz. Genau 11 Uhr in Guldental. Der erste Take von Lafers „Frischer Küche" wird aufgenommen – Take, so nennt man im Fernsehjargon eine Szene.

Viele Monate Detailarbeit für 30 Sendeminuten

Niemand, der Lafer und seinen Gast jetzt so entspannt mit Zwiebeln, Pfifferlingen und Sahne hantieren sieht, würde auf den Gedanken kommen, wieviel Detailarbeit dieser Szene vorausgegangen ist: schon Monate vorher die Konferenzen zwischen Lafer, 3sat und »e&t«-Redaktion, in denen das Konzept der neuen Kochstaffel festgelegt wird. Diesmal soll die kulinarische Tradition der deutschen Regionen vorgestellt werden, Lafers Rezepte sollen von regionalen Zutaten ausgehen, aber keine Traditionsgerichte, sondern frische, junge Küche sein. Dann muß »e&t«-Redakteurin Renate Peiler die wichtigsten Produkte und Rezepte der kulinarischen Landschaften recherchieren, muß Lafer seine Rezeptideen entwickeln und die »e&t«-Versuchsküche sie in für Laien nachkochbare Rezepte umwandeln. Und Stylist Günther Meierdierks endlich muß für jede kulinarische Landschaft das

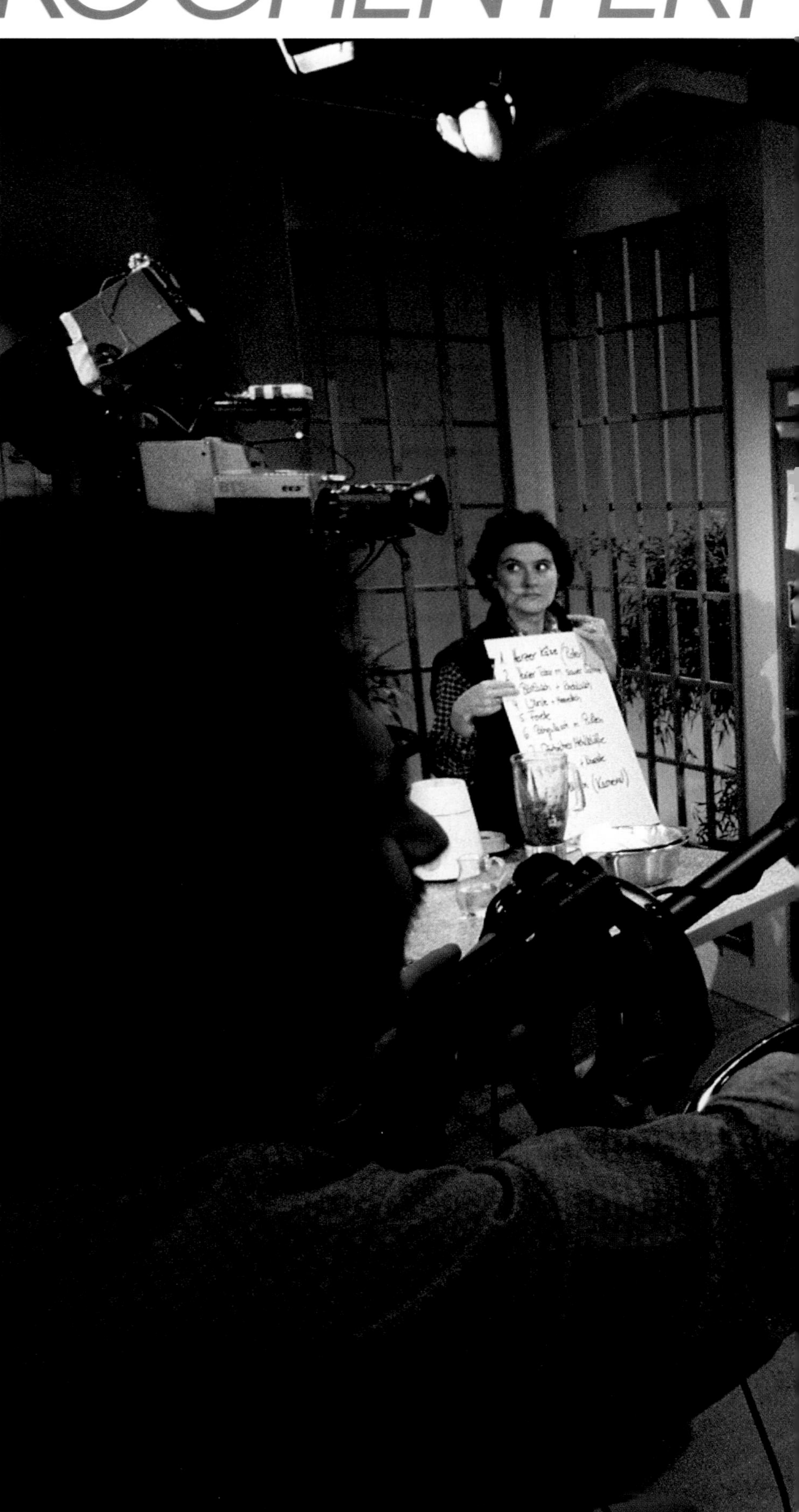

Äußerste Konzentration im Studio: gleich werden Erbprinz Educ

SEHEN WIRD

on Anhalt und Johann Lafer über die Harzer Küche und deren Spezialitäten sprechen

GROSSE KOCHKUNST MIT KLE

passende Dekor finden. (Zum Produktionstermin kommt er dann mit einem ganzen Kleinlaster voll Geschirr, Besteck, feinem und rustikalem Nippes aus Hamburg angefahren.) Die Redaktion von 3sat wiederum muß die Gäste einladen, die authentischen Produkte der einzelnen Regionen besorgen und vor allem einen Produktionsstab zusammenstellen: 24 Leute sind es, von den vier Kameraleuten über Standfotografin bis hin zu MAZ-Ingenieur, Toningenieur und zur Requisitenhilfe, so viele wie für eine mittelgroße Show. So entsteht im Studio Küchenatmosphäre. Und dann das Studio! Johann Lafer kocht nämlich keineswegs in seinem neuen Restaurant, der Stromburg, wie Sie im Laufe der Sendungen wiederholt von ihm hören werden, sondern in einem zum Studio umfunktionierten Schuppen im benachbarten Guldental. Unter der Decke hängen über 50 Scheinwerfer, jeder einzelne vom Schaltpult hinter den Kulissen ansteuerbar. Zwei Tage hat es gedauert, um sie zu installieren und aufeinander abzustimmen. „Aber jetzt herrscht im Studio absolut naturidentisches Tageslicht", sagt Kamerachef Brösler. Und zwischen den Scheinwerfern an der Decke baumeln mindestens ebenso viele Fliegenfänger. Fliegen sind der größte Feind jeder Kochsendung. Stellen Sie sich vor, die Kamera zeigt in Großaufnahme einen Karpfen, dem eine Fliege über den Bauch krabbelt!

Nüchterne Rezepttexte verwandeln sich in ein Fernsehspiel

Der heutige Drehtag hat für die Hauptbeteiligten um 9 Uhr begonnen. Johann Lafer, Regisseur Manuel Kock und Renate Peiler legen als erstes fest, in wie viele einzelne Takes sie die 30 Minuten Sendezeit, die heute gedreht werden sollen, am sinnvollsten aufteilen. Drei Rezepte will Lafer heute kochen und sich zwischendurch mit seinem Gast über die Harzer Traditionsküche unterhalten. Danach wenden sie sich dem ersten Take zu und legen Schritt für Schritt, Handgriff für Handgriff fest, was Hauptdarsteller Lafer zu tun und zu sagen hat. Nüchterne Rezepttexte verwandeln sich plötzlich in ein Fernsehspiel. Auch sein Gast, der wenig später geschminkt aus der Maske erscheint, bekommt seine Regieanweisungen: In diesem Take soll er die Pfifferlinge putzen, aber bitte ganz langsam und anschaulich. Gehorsam macht sich seine Hoheit daran, das Pilzeputzen so zu üben, wie der Regisseur es verlangt.

Inzwischen ist es 10 Uhr geworden, und der Rest der Crew trudelt ein, um erst einmal genüßlich zu frühstücken. Fernsehen besteht nun einmal für die meisten Beteiligten in der Hauptsache aus Leerlauf und Warten. Da hat man viel Zeit zum Frühstücken, Dösen, Zeitunglesen und vor allem dazu, dicke Kataloge mit Küchenutensilien zu

Vor der Aufnahme: Renate Peiler erklärt dem Gast und dem R

Am Abend: große Rezeptkonferenz

Drei Männer am S

…EN HINDERNISSEN

…sseur Kock das Harzer Büffet

Am Monitor: Renate Peiler

Kamera: Tanja Brausch

Im Ü-Wagen: Feinarbeit

…er macht was?

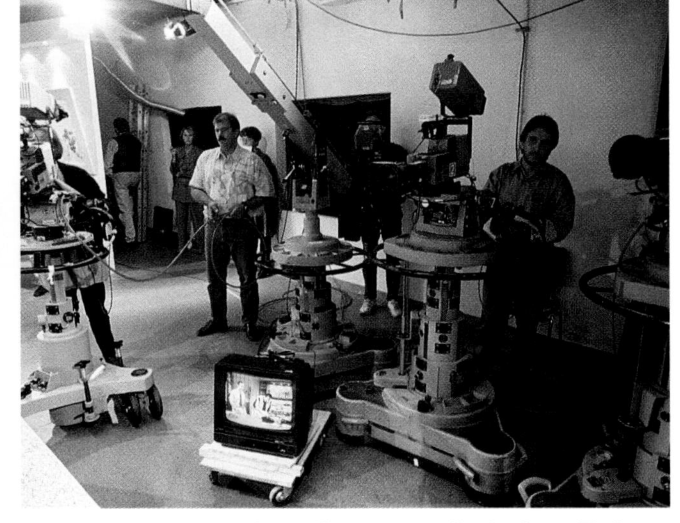

4 Kameras: Probe für den nächsten Take

studieren. Die Frage ist: Was machen die Leute hinterher mit all den Töpfen und Pfannen?

Aber wenn ihr Typ gefragt ist, zeigen sie, daß sie absolute Profis sind. Die vier Kameraleute zum Beispiel, mit denen Regisseur Kock als nächstes den Take durchgeht und genau festlegt, wann Kamera 1 oder Kamera 4 Detailaufnahmen machen, wann Kamera 2 die Totale zeigt, und wann Kamera 3, der riesige Merlin-Kran, den Zuschauer von oben in den Topf sehen läßt. Wenn dann noch eine Lichtprobe und eine Generalprobe gemacht sind, ist es 11 Uhr, Zeit für die erste Aufnahme. Nichts, so scheint es, bleibt hier dem Zufall überlassen.

Aber der Verlauf des Tages beweist: Zufälle und Pannen gibt es trotzdem immer noch genug. Nicht nur in Form der schon erwähnten Fliegen oder der Guldentaler Kirchenglocken, die die Bosheit haben, nicht nur um 12 Uhr, sondern unvermittelt auch am Nachmittag durchs Studio zu dröhnen.

Auch ein Sterne-Koch kennt Katastrophen am Herd

Auch die Gäste sind oft genug für eine Überraschung gut. Der Prinz zum Beispiel verwechselt ständig Prilleken mit Diebichen, als er Johann Lafer die Spezialitäten seiner Heimat vorstellt. Von diesen beiden Harzer Arme-Leute-Gerichten, das eine sind Mehlklöße, das zweite Gebäck, hat er noch nie etwas gehört. Aufnahmeleiterin Schäfer schreibt ihm schließlich einen „Neger", ein Plakat, von dem er, vom Zuschauer ungesehen, die Namen ablesen kann. Und auch ein Sternekoch ist nicht gegen Klein-Katastrophen gefeit. An diesem Tag passieren ihm gleich zwei: Am Morgen gerät er mit dem Löffel etwas zu tief in den Mixer, in dem er gerade Linsen püriert. Sie zerstreuen sich mit lautem Knall über den Tresen und sein Hemd. Und am Abend entdeckt einer der Bildtechniker, daß aus dem Maul der appetitlich angerichteten Kräuterforelle Blut fließt, und das in der Großaufnahme. Der Grund: Nur dieses eine Mal ist der Meister von seinem ehernen Grundsatz abgewichen, alle Gerichte seinen Zuschauern ungeschönt und naturgetreu vorzukochen. Er hat die Forelle nicht 15 Minuten, sondern nur zwei garen lassen, damit sie besonders frisch aussieht. Auch diese Szene muß noch einmal wiederholt werden, diesmal mit der richtigen Garzeit. „Kein Zuschauer kann sich vorstellen, wieviel Stress das ist, so eine Sendung zu machen", sagt Manuel Kock erschöpft, als der letzte Take im Kasten ist. Aber das soll der auch nicht. Gerade darin liegt ja die Kunst.

1. MECKLENBURG

Lafers moderne Version des Mecklenburger Rippenbratens: Glasierter Frischlingsrücken mit Backobstfüllung und Kartoffelplätzchen

1. MECKLENBURG

Glasierter Frischlingsbraten mit Backobstfüllung

Zum Foto auf den Seiten 10/11

Für 6–8 Portionen:
1,5 kg Frischlingskeule (ohne Knochen)
Salz, schwarzer Pfeffer (a. d. Mühle)
100 g Zwiebeln, 1 Apfel (200 g)
250 g Backpflaumen (ohne Stein)
50 g Butter
1 Rosmarinzweig, 5 Wacholderbeeren
4 El Öl
300 g grob gewürfeltes Röstgemüse (Porree, Möhren, Sellerie, Zwiebeln)
1 El Tomatenmark
100 ml roter Portwein, 400 ml Rotwein
800 ml Wildfond (a. d. Glas)
2 El rotes Johannisbeergelee
2 El mittelscharfer Senf

1. Die Frischlingskeule auf der Arbeitsfläche flach ausbreiten. Die dicken Teile mit dem Messer flachschneiden. Das Fleisch zwischen zwei Folien flachklopfen, so daß eine große Fleischplatte entsteht. Das Fleisch salzen und pfeffern.

2. Die Zwiebeln pellen. Den Apfel schälen und entkernen. Backpflaumen, Zwiebeln und Apfel in kleine Würfel schneiden und in der Butter anbraten. Die Füllung etwas abkühlen lassen und gleichmäßig auf dem Fleisch verteilen. Die Rosmarinnadeln sehr fein schneiden. Den Wacholder fein mahlen oder zerstoßen. Die Füllung damit würzen. Das Fleisch wie eine Roulade aufrollen und mit Küchengarn zusammenbinden. Den Rollbraten von außen salzen und pfeffern.

3. Das Öl in einem Bräter erhitzen und das Fleisch rundherum anbraten. Den Braten herausnehmen. Das Röstgemüse im Bratfett rösten. Das Tomatenmark unterrühren und ganz kurz mitrösten. Portwein, Rotwein und Wildfond dazugießen und aufkochen lassen.

4. Das Fleisch im vorgeheizten Backofen auf der 2. Leiste von unten bei 180 Grad 1 1/2 Stunden zugedeckt garen (Gas 2–3, Umluft 1 3/4 Std. bei 180 Grad).

5. Den Braten aus dem Backofen nehmen und auf den Bräterdeckel legen. Das Johannisbeergelee mit dem Senf verrühren. Den Braten damit bestreichen und 10–15 Minuten bei gleicher Temperatur im Backofen überkrusten lassen.

6. In der Zwischenzeit den Bratenfond durch ein Sieb in einen Topf umgießen, dabei das Gemüse mit einer Kelle gut ausdrücken. Die Sauce bei milder Hitze sämig einkochen lassen, mit Salz und Pfeffer abschmecken.

7. Den Braten in Scheiben schneiden, auf einer vorgewärmten Platte anrichten und mit der Bratensauce servieren.

Dazu passen frisch gebackene Kartoffelplätzchen.

Zubereitungszeit: 2 1/2 Stunden
Pro Portion (bei 8 Portionen)
39 g E, 17 g F, 27 g KH = 447 kcal (1871 kJ)

Eine ganz feine Sache: klare Steckrübensuppe mit Aal

Kartoffelplätzchen

Zum Foto auf den Seiten 10/11

Für 6–12 Plätzchen:
600 g Kartoffeln (mehligkochend)
30 g Schalottenwürfel
10 g Butter, 1 Ei
60 g Mehl
Salz
frisch geriebene Muskatnuß
1 El gehackte Petersilie
1 El Schnittlauchröllchen
Kartoffelmehl zum Ausrollen
50 g Butterschmalz

1. Die Kartoffeln waschen, kochen, pellen und noch warm durch die Kartoffelpresse drücken.

2. Die Schalottenwürfel in der Butter anschwitzen, zur Kartoffelmasse geben, mit Ei und Mehl zu einem geschmeidigen Teig verarbeiten. Den Teig mit Salz, Muskat, Petersilie und Schnittlauch würzen.

3. Die Arbeitsfläche mit Kartoffelmehl bestreuen. Darauf aus dem Kartoffelteig eine Rolle formen, in etwa 1cm dicke Scheiben schneiden.

4. Das Butterschmalz in einer Pfanne erhitzen. Die Scheiben darin portionsweise goldgelb braten.

Die Kartoffelplätzchen zum glasierten Frischlingsbraten reichen.

Zubereitungszeit: 1 Stunde
Pro Stück (bei 12 Stück)
2 g E, 6 g F, 11 g KH = 104 kcal (436 kJ)

Klare Steckrübensuppe mit Aal

Zum Foto oben

Für 4 Portionen:
600 g geräucherter Aal (mit Kopf)
1 Steckrübe (500 g)
100 g Schalotten
50 g Porree
40 g Sellerie
100 g Champignons
30 g Butter
5 grob zerstoßene Pimentkörner
2 Sternanisköpfe
2 Lorbeerblätter
3 Eiweiß
Eiswürfel
200 ml Weißwein
800 ml Fischfond (a. d. Glas)
Salz, Pfeffer (a. d. Mühle)
1 El Zucker
1/2 Bund Dill

1. Für die Suppeneinlage vom Räucheraal den Kopf und den Schwanz abschneiden. Die Filets der Länge nach von der Mittelgräte schneiden. Die Filets häuten, die Bauchlappen abschneiden. Gräten, Kopf und Schwanz in kleine Stücke zerteilen.

2. Die Steckrübe schälen, mit dem Buntmesser in 1 cm breite Stifte schneiden, Stifte und 100 g Abschnitte beiseite stellen. Die Schalotten pellen und würfeln, den Porree in Ringe schneiden, den Sellerie würfeln, die Champignons in grobe Stücke schneiden.

3. Die Butter in einem Topf erhitzen. Das vorbereitete Gemüse, die Rüben- und Aalabschnitte (Gräten, Kopf und Schwanz) darin anbraten. Mit Piment, Sternanis und Lorbeer würzen. Den Fischfondansatz zur Seite stellen und etwas abkühlen lassen.

4. Zum Klären Eiweiß, Eiswürfel, Weißwein und Fischfond auf den Ansatz gießen und bei milder Hitze langsam aufkochen lassen. Dabei ab und zu am Topfboden entlangschaben, damit das Eiweiß nicht ansetzt. Den Fond dann ohne zu rühren 3 Minuten gut durchkochen lassen, beiseite stellen und 15 Minuten ziehen lassen.

5. Ein Sieb mit einem Passiertuch auslegen, den Fischfond vorsichtig in einen anderen Topf umgießen, mit Salz und Pfeffer würzen.

6. Den Zucker in einer Pfanne hellbraun schmelzen lassen. Die Steckrübenstifte darin karamelisieren, in die Suppe umfüllen und bei milder Hitze langsam gar ziehen lassen.

7. Zum Anrichten die Räucheraalfilets in Portionsstücke zerteilen und in tiefe Teller legen. Die heiße Steckrübensuppe daraufgießen, mit Dillästchen bestreuen und servieren.

Dazu paßt frisches Landbrot oder knuspriges Baguette.

Zubereitungszeit: 1 1/2 Stunden
Pro Portion 12 g E, 14 g F, 10 g KH = 228 kcal (956 kJ)

Rügenwalder Teewurst mit Schmandkartoffeln

Für 6 Portionen:
1,25 kg kleine Kartoffeln
150 g durchwachsener Speck
150 g Zwiebeln
30 g Butter oder Margarine
20 g Mehl
400 ml Fleischbrühe
250 g Schmand
Salz, weißer Pfeffer (a. d. Mühle)
1/2 Bund Majoran
2 Bund Schnittlauch
2 feine Rügenwalder Teewürste (à 125 g)

1. Die Kartoffeln in der Schale etwa 20 Minuten garen. Inzwischen den Speck ohne Schwarte fein würfeln. Die Zwiebeln pellen, auch fein würfeln.

2. Den Speck in Butter oder Margarine bei milder Hitze langsam ausbraten. Die Zwiebeln zugeben und in 3–5 Minuten glasig braten. Etwa ein Viertel der Speck-Zwiebel-Mischung mit der Schaumkelle herausnehmen und beiseite stellen.

3. Das Mehl über Speck und Zwiebeln in der Pfanne stäuben und unter Rühren gut anschwitzen, die Fleischbrühe zugießen, gründlich verrühren und aufkochen. Den Schmand unterrühren und aufkochen. Die Sauce zugedeckt bei milder Hitze 10 Minuten leise kochen lassen, dabei gelegentlich umrühren und anschließend salzen und pfeffern.

4. Die Majoranblättchen abzupfen, den Schnittlauch in Röllchen schneiden, beides mischen. Die Teewurst in dicke Scheiben schneiden und die Haut abziehen. Die Kartoffeln abgießen, heiß pellen, in Scheiben schneiden und leicht mit Salz bestreuen.

5. Kartoffeln und Sauce abwechselnd in eine ofenfeste Form geben, dabei die Kräuter (1 Tl abnehmen) mit einstreuen. Die beiseite gestellte Speck-Zwiebel-Mischung obendraufstreuen. Schmandkartoffeln zugedeckt bei milder Hitze auf dem Herd erwärmen und etwas durchziehen lassen. Anschließend mit den restlichen Kräutern bestreuen und mit Teewurstscheiben servieren.

Zubereitungszeit: 50 Minuten
Pro Portion 13 g E, 47 g F, 31 g KH = 626 kcal (2622 kJ)

Die Rostockerin Elke Bendin zeigt Johann Lafer die Spezialitäten Mecklenburgs

Spickhecht in Sahnesauce

Für 4 Portionen:
1 Hecht (etwa 1–1 1/2 kg, vom Fischhändler ausgenommen und geschuppt)
2 El Zitronensaft
Salz, 125 g fetter Speck
100 g Butter
1 große Zwiebel
1 Möhre
1/4 l saure Sahne
1 El Mehl
etwas Wein (oder Zitronensaft)

1. Den Hecht gründlich waschen und trockentupfen, innen und außen mit Zitronensaft und Salz würzen. Den Speck in etwa 10 cm lange, 1/2 cm breite Streifen schneiden. Den Hecht an jeder Seite quer zum Rücken mit Speckstreifen spicken.

2. Eine feuerfeste Platte mit hochgezogenem Rand mit 20 g flüssiger Butter ausstreichen. Den vorbereiteten Hecht auf die Platte setzen. (Damit er Halt hat, kann man ihn auf eine umgedrehte Tasse setzen. Man kann ihn auch auf zwei große geschälte und unten glattgeschnittene Kartoffeln setzen.)

3. Die restliche Butter erhitzen und über den Hecht gießen. Die gepellte und in Viertel geschnittene Zwiebel und die geputzte, in Scheiben geschnittene Möhre neben den Hecht legen.

4. Die Platte im vorgeheizten Backofen auf die 2. Leiste von unten stellen. Den Hecht bei 225 Grad (Gas 4, Umluft 40 Min. bei 200 Grad) etwa 50 Minuten braten, zwischendurch immer wieder mit dem Bratensaft beschöpfen.

5. 1/8 l saure Sahne mit dem Mehl verquirlen, gegen Ende der Bratzeit über den Hecht streichen und mitbräunen lassen. Wenn der Hecht gar ist, die Sauce mit einem Löffel abschöpfen, mit der restlichen sauren Sahne verrühren und mit einem Schuß Wein oder Zitronensaft abschmecken.

Den Spickhecht auf der Platte servieren und die Sauce getrennt reichen.

Dazu passen Bratkartoffeln und Salat.

Zubereitungszeit: 1 1/2 Stunden
Pro Portion 30 g E, 56 g F, 8 g KH = 653 kcal (2736 kJ)

2. SACHSEN-ANHALT

Tiegelbraten mit Speck und Trauben: früher ein eher gewöhnungsbedürftiges Hammelessen, heute ein Glanzstück moderner Küche

2. SACHSEN-ANHALT

Kalbsleber mit Birnen und Estragon: weil die Birne das Lieblingsobst der Anhaltiner ist

Kaltes Pökelfleisch mit Gemüse-Vinaigrette: aus einem Resteessen wird kulinarische Klasse

Tiegelbraten mit Speck und Trauben

Zum Foto auf den Seiten 14/15

Für 4 Portionen:
1 Lammschulter (etwa 1,4 kg, vom Schlachter entbeint, die Knochen kleingehackt mitgeben lassen)
1 Zwiebel, 1 große Möhre
1/2 Stange Porree, 1 Tomate
3 Knoblauchzehen
2 Thymianzweige, 2 Rosmarinzweige
1 Lorbeerblatt, Salz
30 g Butter, 20 g Mehl
1/8 l Schlagsahne
200 g Weintrauben (blaue und grüne gemischt)
100 g durchwachsener Speck
1 Scheibe Mischbrot (50 g)
2 El Öl, 1 El gehackte, glatte Petersilie
4 Salbeiblätter

1. Die Lammschulter sorgfältig von Haut und Fett befreien (eventuell gleich wie gewachsen in größere Stücke zerteilen) und mit kochendem Wasser überbrühen. Das abgetropfte Fleisch mit den Knochen in frischem Wasser langsam zum Kochen bringen und dabei mehrmals sorgfältig abschäumen.

2. Inzwischen die Zwiebel quer halbieren. Die Schnittflächen ohne Fett dunkelbraun anrösten. Die Möhre und den Porree putzen und zerteilen, die Tomate vierteln. 1 Knoblauchzehe ungepellt halbieren.

3. Diese vorbereiteten Zutaten mit Thymian, Rosmarin und Lorbeer zum Fleisch in den Topf geben und salzen. Das Ganze insgesamt 1 1/2 Stunden ohne Deckel sanft garen.

4. Aus 10 g Butter und dem Mehl eine Mehlbutter kneten und kalt stellen. Das Fleisch aus dem Topf nehmen, etwas abkühlen lassen und in gulaschgroße Stücke schneiden.

5. 1/2 l Brühe durch ein Sieb in einen Topf umgießen, mit der Sahne auf etwa 350 ml einkochen lassen. Zum Binden die Mehlbutter in Flöckchen unterschlagen. Das Fleisch in die Sauce geben und erwärmen.

6. Inzwischen die Trauben halbieren und entkernen. Den Speck fein würfeln. Das Brot ohne Rinde würfeln. Den restlichen Knoblauch pellen und fein hacken.

7. Den Speck im Öl langsam knusprig ausbraten. Den Knoblauch unterrühren und glasig braten. Die Trauben darin schwenken. Zum Schluß die Petersilie unterziehen.

8. Das Brot mit dem Salbei in der restlichen Butter knusprig braten.

9. Das Fleisch in einer Schüssel anrichten, mit dem Brot und den Salbeiblättern bestreuen, die Trauben-Speck-Mischung darübergeben und servieren.

Einen gemischten Salat mit Hefesauce dazu servieren.

Zubereitungszeit: 2 Stunden
Pro Portion 52 g E, 57 g F, 18 g KH = 790 kcal (3306 kJ)

Gemischter Salat mit Hefesauce

Zum Foto auf den Seiten 14/15

Für 4 Portionen:
1 kleiner Kopfsalat
50 g Feldsalat
1 kleiner Kopf Radicchio
2 El Kerbelblättchen
1 El gehackte, glatte Petersilie
1 Ei
5 g Hefe
Salz
Pfeffer (a. d. Mühle)
1 Prise Zucker
1 Tl Senf
1/2 gehackte Knoblauchzehe
150 ml Traubenkernöl
50 ml Fleischbrühe
2 El Zitronensaft

1. Die Salate putzen, zerpflücken, waschen und trockenschleudern. Die Salate mischen und in einer Schüssel mit dem Kerbel und der Petersilie anrichten.

2. Für die Hefesauce alle anderen Zutaten in einen hohen Rührbecher geben und mit dem Schneidstab aufmixen. Die Hefesauce über den Salat gießen und gut durchheben.

Den Salat zum Tiegelbraten servieren.

Zubereitungszeit: 15 Minuten
Pro Portion 4 g E, 32 g F, 4 g KH = 312 kcal (1308 kJ)

Kalbsleber mit Birnen und Estragonsauce

Zum Foto auf Seite 16

Für 4 Portionen:
4 fast reife Birnen (650 g)
2 El Zitronensaft
1 Vanilleschote
100 ml trockener Weißwein
50 g Zucker
200 ml Weißweinessig
70 g Butter
3 feingehackte Schalotten
50 ml roter Portwein
200 ml Kalbsfond (a. d. Glas)
Salz
2–3 El alter Balsamessig
2 El frischer, gehackter Estragon
4 Scheiben Kalbsleber (à 160 g)
Mehl zum Bestäuben
30 g Butterschmalz

1. Für das Kompott die Birnen schälen, in Spalten schneiden, entkernen und in Wasser legen. Den Zitronensaft unterrühren. Die Vanilleschote längs aufschlitzen und das Mark herauskratzen.

2. In einem breiten Topf 200 ml Wasser mit Weißwein, Zucker, Essig, Vanilleschote und Vanillemark aufkochen. Die abgetropften Birnen darin bei milder Hitze in 5–8 Minuten bißfest pochieren.

3. 20 g Butter im Topf erhitzen, die Schalotten darin anbraten, den Portwein dazugießen und fast völlig verdampfen lassen. Den Kalbsfond dazugießen und bei starker Hitze auf zwei Drittel einkochen lassen. 30 g Butter in kleinen Stücken untermischen. Die Sauce mit Salz und Balsamessig würzen. 1 El Estragon unterziehen.

4. Die Leberscheiben sauber putzen, eventuell schräg in je 3 Stücke schneiden, im Mehl wälzen und das überschüssige Mehl abklopfen.

5. Das Butterschmalz in einer großen Pfanne erhitzen, die Leberscheiben von beiden Seiten darin braten. Die restliche Butter im Bratfett schmelzen, die Leber darin wenden und salzen. Die gebratene Leber auf einem Küchentuch kurz abtropfen lassen.

6. Die Leber auf vorgewärmten Tellern mit der Estragonsauce überziehen. Die Birnen abtropfen lassen und dazulegen, mit dem restlichen Estragon bestreuen und dann sofort servieren.

Salzkartoffeln dazureichen.

Zubereitungszeit: 1 Stunde
Pro Portion 34 g E, 30 g F, 38 g KH = 576 kcal (2408 kJ)

Kaltes Pökelfleisch mit Gemüse-Vinaigrette

Zum Foto auf Seite 16

Für 4–6 Portionen:
200 g Möhren
200 g Petersilienwurzeln
250 ml Rinderbrühe
Salz
grober weißer Pfeffer
Zucker
50 ml Weißweinessig
2–3 El Zitronensaft
100 ml Dill- oder Traubenkernöl
1/2 Bund Dill
400 g kaltes Pökelfleisch in dünnen Scheiben (Kalbszunge, Tafelspitz oder Ochsenbrust)

1. Die Möhren und Petersilienwurzeln schälen und schräg in sehr dünne Scheiben schneiden.

2. Das Gemüse in der Brühe zugedeckt 2–3 Minuten bei milder Hitze garen, im Sieb abtropfen lassen und die Brühe dabei auffangen.

3. Für die Vinaigrette 100 ml Brühe mit Salz, Pfeffer und 1 Prise Zucker würzen. Essig und Zitronensaft unterrühren, das Öl unterschlagen. Das Gemüse in die Sauce geben und darin abkühlen lassen.

4. Die Dillästchen abzupfen, hacken und in die Vinaigrette rühren. Das Fleisch auf einer tiefen Platte anrichten, mit der Gemüse-Vinaigrette begießen und servieren.

Bauernbrot oder Pellkartoffeln dazureichen.

Zubereitungszeit: 30 Minuten
Pro Portion (bei 6 Portionen)
20 g E, 16 g F, 4 g KH = 241 kcal (1010 kJ)

Lafers Tip: Gekochtes Pökelfleisch

Wenn Sie das Pökelfleisch selber zubereiten wollen, legen Sie 800 g mild gepökelte Ochsenbrust (ohne Knochen) in leicht gesalzenes, heißes Wasser. Sie geben grob gewürfeltes Suppengemüse (Sellerie, gebräunte Zwiebelhälfte, Möhren und Porree) mit 1 Knoblauchzehe, 2 Lorbeerblättern, 10 Pfefferkörner und 5 Gewürznelken dazu. Sie lassen das Fleisch bei milder Hitze ohne Deckel etwa 3 Stunden leise sieden. Anschließend nehmen Sie es heraus und lassen es kalt werden. Die Brühe nehmen Sie für die Gemüse-Vinaigrette. Oder Sie frieren sie ein für ein anderes Gericht.

Sol-Eier aus Halle

Für 5 Portionen:
Schalen von 5 Zwiebeln
15 Eier
3 El Salz

1. Reichlich Wasser mit den Zwiebelschalen aufsetzen und ungefähr 15 Minuten kochen lassen, bis das Wasser eine schöne braune Farbe angenommen hat. Die Zwiebelschalen mit einem Sieb oder einer Schaumkelle aus dem Wasser fischen und wegwerfen.

2. Die Eier mit einem Eierstecher anpieksen, damit sie nicht platzen. Dann in dem braunen Wasser gut 10 Minuten kochen, bis sie ganz hart sind. Anschließend aus dem Wasser nehmen, mit kaltem Wasser abschrecken und abkühlen lassen.

3. In dieser Zeit 1 1/2 l Wasser mit dem Salz 5 Minuten kochen und anschließend abkühlen lassen.

4. Die Eier etwas anschlagen, damit die Schale kleine Risse bekommt. Die Eier in ein hohes Glasgefäß geben und die kalte Salzlake darübergießen. Das Sol-Eier-Glas am besten in die Speisekammer oder an einen Platz in der Küche stellen, wo es am wenigsten stört. Nach 36 Stunden sind die Sol-Eier fertig.

5. Bei Tisch zuerst die harten Eier quer durchschneiden. Das Eigelb vorsichtig aus den Eihälften auf den Teller drücken. Die leeren Eihälften auf Serviettenringe stellen, nach Geschmack füllen und zum Schluß das Eigelb wieder wie ein Hütchen darauf setzen.

6. Die Sol-Eier mit verschiedenen Sorten Senf, mit Mango-Chutney, Chilisauce, Worcestershiresauce, Mustardsauce, Sojasauce, Ketchup in verschiedenen Sorten, Mayonnaise, Estragon, Pfeffer, Knoblauch und Kräuteressig auf einem großen Tablett servieren. Salz- und Pfefferstreuer nicht vergessen.

Außerdem verschiedene Brotsorten, Salzgurken, Radieschen, Mixed Pickles und vielleicht noch einige Schinkenscheiben bereitstellen.

Zubereitungszeit: 45 Minuten (plus Zeit zum Marinieren)
Pro Portion 23 g E, 20 g F, 1 g KH = 277 kcal (1163 kJ)

Klassische Würzkombination:

Eigelb aus dem halbierten Ei nehmen, dann Essig, Öl, Pfeffer, Salz und Senf hineingeben. Die Eigelbhütchen darauf setzen und mit den Würzzutaten kombinieren.

Sol-Ei-Geschichte:

Die Sol-Eier stammen aus Halle. Dort haben die Halloren, die Arbeiter der Salzsiederzunft, ursprünglich die Eier in der Mittagspause in die heiße Salzsole gehängt, um eine nahrhafte Unterlage für ihr kühles Pausenbier zu haben.

Eduard von Anhalts Tip:

In meiner Familie werden die Sol-Eier zu Ostern gegessen, wie es in Anhalt schon immer Brauch war. Mit Eiern, die ja die Symbole des Lebens sind, haben früher die Germanen im Frühling das Fest ihrer Fruchtbarkeitsgöttin Ostara gefeiert. Von den Slawen, gegen deren Vordringen mein Urahn, der Askanier und Berlin-Gründer Albrecht der Bär, gekämpft hat, haben wir die Gewürze Dill und Kümmel für unseren Sol-Ei-Sud übernommen.

Eduard Prinz von Anhalt, der Cousin von Prinz Charles, weiht Johann Lafer in der TV-Küche in die Geheimnisse der Küche Sachsen-Anhalts ein

Altmärker Hochzeitssuppe

Für 4 Portionen:
Eierstich
4 Eier
100 ml Milch
Salz
Zucker
frisch geriebene Muskatnuß
Butter für die Form
Fleischklößchen
1 altes Brötchen ohne Kruste
1 Ei
400 g Schweinehackfleisch
Salz, Pfeffer (a. d. Mühle)
Gemüse
100 g Erbsen
100 g Möhrenscheiben
Salz
200 g Spargel
Suppe
1 1/2 l Geflügelfond (a. d. Glas)
Salz, Pfeffer (a. d. Mühle)
frisch geriebene Muskatnuß
1 El gehackte Petersilie

1. Für den Eierstich die Eier in einer Schüssel mit der Milch verrühren. Mit je 1 Prise Salz und Zucker und viel Muskat würzen. Ein passend großes ofenfestes Gefäß mit Butter einfetten, die Masse hineinfüllen.

2. Den Backofen vorheizen. Heißes Wasser in die Saftpfanne gießen. Das Gefäß hineinstellen. Den Eierstich bei 175 Grad (Gas 2, Umluft 15–20 Min. bei 160 Grad) in 20 Minuten garen.

3. Den Eierstich aus der Form nehmen, abkühlen lassen und dann mit dem Buntmesser würfeln (1 cm Kantenlänge).

4. Während der Eierstich gart, die Fleischklößchen zubereiten: Das Brötchen in lauwarmem Wasser einweichen, ausdrücken, etwas zerpflücken und dann mit dem Ei unter das Schweinefleisch mischen. Das Fleisch herzhaft salzen und pfeffern. Mit nassen Händen aus dem Fleischteig kleine Klößchen drehen und zugedeckt beiseite stellen.

5. Erbsen und Möhren nacheinander in Salzwasser blanchieren, in Eiswasser abschrecken und abtropfen lassen.

6. Den Spargel putzen und jede Stange in 3 Stücke schneiden.

7. Den Geflügelfond erhitzen, die Fleischklößchen hineingeben und in 7 Minuten garen. Spargel, Erbsen und Möhren zugeben und weitere 5 Minuten garen. Die Suppe mit Salz, Pfeffer und Muskat abschmecken. Vor dem Servieren den Eierstich darin erwärmen und die Petersilie unterziehen.

Dazu paßt knuspriges Baguette.

Zubereitungszeit: 1 Stunde
Pro Portion 33 g E, 32 g F, 14 g KH = 475 kcal (1989 kJ)

Immerwährender altmärkischer Küchenkalender

Montag: Märkische Rüben, die in glühender Asche gebraten werden. Danach schneidet man den Deckel ab und rührt das Fruchtfleisch mit der Messerspitze durch und gibt dabei ein Stückchen mit Zucker verknetete Butter zu.

Außerdem wird der Stockfisch weich geklopft und in Wasser eingeweicht.

Dienstag: Altmärkische Buttererbsen, die in der Schote weich gekocht werden. Bei Tisch gibt man geröstete Brot- und Semmelbrösel, feingehackte Kräuter und ein walnußgroßes Stück Butter darüber.

Außerdem wird der Stockfisch in frisches Wasser gelegt, dabei gibt man etwas Asche zu.

Mittwoch: Obsttag mit Quitten, Pfirsichen, Birnen, Aprikosen, Pflaumen, Schwarz- und Weichselkirschen, Borsdorfer Äpfeln.

Der Stockfisch bekommt wieder frisches Wasser.

Donnerstag: Neun schöne Kräuter gibt man mit einem Schinkenknochen in kochendes Wasser und gart sie. Bei Tisch rührt man noch Semmelkrumen und etwas Fett in jeden Teller.

Freitag: Morgens wird der Stockfisch abgegossen und in Stücke geschnitten. Jedes Stück wird mit einem Faden gebunden und für ein paar Stunden in frisches Wasser gehängt, dann wird er gekocht und gesalzen. Man serviert ihn mit gekochten Erbsen oder Rüben in einer Schüssel.

Sonnabend: Altmärker Hochzeitssuppe mit Hühnerbrühe, die mit viel Muskat gewürzt ist. Als Einlage kommt außer Eierstich frisches Gemüse hinein und im Juni weißer Spargel.

Sonntag: Tiegelbraten, der aus Hammelfleisch und Hammelleber in großen Stücken besteht, die mit Lorbeerblättern und Gewürzkörnern gekocht werden. Dazu gibt es eine Tunke aus Knoblauch, Salbei, Speck und sauren Weintrauben. Und außerdem Schwarzbrot und Kornbranntwein.

Abendessen, täglich: Pellkartoffeln, die man entweder in Mehlsoße mit Dill oder in ausgelassenes Speckfett tunkt.

3. BADEN

Schönste badische Winterküche:
geschmorte Hasenkeule mit Zwetschgenmus und
einem außergewöhnlichen Topinamburpüree

3. BADEN

Geschmorte Hasenkeulen mit Zwetschgenmus

Zum Foto auf den Seiten 20/21

Für 4 Portionen:
4 Hasenkeulen (à 350 g)
Salz, Pfeffer (a. d. Mühle)
2 rote Zwiebeln
1/2 Porreestange
1 Möhre
1 Apfel
1 Lorbeerblatt
1 Tl Wacholderbeeren
40 g Butterschmalz
100 g Zwetschgenmus
100 ml roter Portwein
200 ml Rotwein (badischer Spätburgunder)
200 ml Wildfond (a. d. Glas)
15 g Speisestärke
2 cl Zwetschgenwasser

1. Die Keulen mit einem scharfen Messer vorsichtig häuten, salzen und pfeffern.

2. Die Zwiebeln und das Suppengemüse putzen und grob würfeln. Den Apfel waschen und mit der Schale würfeln. Das Lorbeerblatt an den Rändern einreißen. Den Wacholder mit einem Topfboden unter Folie zerdrücken.

3. Das Butterschmalz im Bräter erhitzen, die Keulen darin von beiden Seiten anbraten. Alle vorbereiteten Zutaten dazugeben und leicht anrösten. Das Zwetschgenmus in der Mitte des Bräters anrösten.

4. Die Hasenkeulen mit Portwein, Rotwein und dem Wildfond aufgießen und zugedeckt bei milder Hitze etwa 1 Stunde schmoren. Die Keulen dabei ab und zu wenden, dann aus dem Schmorfond nehmen und zugedeckt warm stellen.

5. Den Schmorfond durch ein Sieb in einen Topf umgießen, das Gemüse dabei mit einer Kelle gut ausdrücken. Den Fond bei starker Hitze auf 250 ml einkochen lassen. Die Speisestärke in 4 El kaltem Wasser auflösen, zum Binden in den Fond gießen und aufkochen. Die Sauce mit Zwetschgenwasser und Pfeffer würzen und über die Keulen gießen.

Dazu paßt ein mildes Topinamburpüree.

Zubereitungszeit: 1 1/2 Stunden
Pro Portion 57 g E, 18 g F, 23 g KH = 524 kcal (2192 kJ)

Topinamburpüree mit fritierten Topinamburscheiben

Zum Foto auf den Seiten 20/21

Für 4 Portionen:
500 g Topinamburknollen
4 El Zitronensaft
2 Schalotten
40 g Butter
200 ml Gemüsebrühe
150 ml Schlagsahne
Salz
Öl zum Fritieren

1. Die Topinamburknollen schälen. Etwa ein Viertel davon in nicht zu dünne Scheiben schneiden und mit 2 El Zitronensaft in Wasser legen. Den Rest grob in Stücke zerschneiden und mit dem restlichen Zitronensaft ebenfalls in Wasser legen. Die Schalotten pellen und in Ringe schneiden.

2. Die Butter im Topf zerlaufen lassen, die Schalotten darin glasig dünsten. Die Topinamburstücke abtropfen lassen, dazugeben und unter Rühren andünsten. Die Gemüsebrühe und 100 ml Sahne dazugießen.

3. Die Topinamburstücke zugedeckt 20–25 Minuten kochen, anschließend ohne Deckel so lange weitergaren, bis die Flüssigkeit fast verkocht ist. Dann salzen und mit dem Schneidstab pürieren, warm halten.

4. Die Topinamburscheiben abtropfen lassen und trockentupfen. Das Öl im Topf erhitzen, die Topinamburscheiben darin in etwa 3 Minuten goldbraun fritieren, auf Küchenpapier abtropfen lassen.

5. Die restliche Sahne steif schlagen und unter das Püree heben. Die fritierten Scheiben locker untermischen.

Das Topinamburpüree sofort zu den Hasenkeulen servieren.

Zubereitungszeit: 45 Minuten
Pro Portion 4 g E, 30 g F, 9 g KH = 322 kcal (1351 kJ)

Was ist Topinambur?

Die Erdknolle, die man auch unter der Bezeichnung Erdartischocke kennt, wird in Deutschland fast ausschließlich in Mittelbaden angebaut. Woanders kennt man sie kaum. Die Topinamburknolle ist in Nordamerika beheimatet und kam über Frankreich ins Badische. Sie schmeckt etwas streng (man könnte auch sagen: sie kellert ein wenig) und wird wie eine Kartoffel verarbeitet. Als echte Winterfrucht, die von Oktober bis Mai geerntet wird, ist sie ein wichtiger Vitamin-Lieferant. Richtige Berühmtheit hat sie in Baden als Verdauungsschnaps erlangt.

Die Schwarzwälder Kirschtorte:

Schwarzwälder Kirschtorte

Zum Foto oben

Für 12–14 Stücke:
Boden
5 Eier (Gew.-Kl. 3)
170 g Zucker
Salz
90 g Mehl
60 g Speisestärke
30 g Kakaopulver
Fett und Mehl für die Form
Kirschfüllung
1 Glas Sauerkirschen (370 g Abtropfgewicht)
50 g Zucker
1 El abgeriebene Orangenschale (unbehandelt)
30 g Speisestärke
4 El Kirschwasser
Sahnefüllung und Dekoration
3 Blatt weiße Gelatine
750 ml kalte Schlagsahne
60 g Zucker
7 El Kirschwasser
150 g dunkle Kuvertüre

1. Für den Boden die Eier mit Zucker und 1 Prise Salz zuerst über dem heißen Wasserbad mit den Quirlen des Handrührgeräts schaumig aufschlagen, dann kalt schlagen.

2. Mehl, Stärke und Kakao mischen und über die Eimasse sieben, dann mit einem Spatel unterziehen.

3. Eine Springform (26 cm Ø) dünn ausfetten und mit Mehl ausstäuben. Den Schokoladenbiskuit in die Form gießen, im vorgeheizten Backofen auf der 2. Leiste von unten bei 200 Grad (Gas 3, Umluft 180 Grad) 25 Minuten backen. Den Biskuitboden in

KLASSIKER

badische Klassiker schlechthin

der Form auf ein Kuchengitter stürzen, auskühlen lassen. Den Kuchen quer in 3 Böden schneiden.

4. Während der Biskuit gebacken wird, die Kirschen für die Füllung abtropfen lassen, den Saft auffangen. 12–14 besonders schöne Kirschen für die Dekoration beiseite legen.

5. 150 ml Kirschsaft mit Zucker und Orangenschale aufkochen. Die Stärke in 6 El kaltem Kirschsaft auflösen, dazugießen und unter Rühren einmal aufkochen. Die Kirschen untermischen und mit 2 El Kirschwasser parfümieren. Die Füllung etwas abkühlen lassen.

6. Die Kirschfüllung auf den unteren Boden streichen. Den mittleren Boden daraufsetzen und mit dem restlichem Kirschwasser beträufeln.

7. Für die Sahnefüllung die Gelatine kalt einweichen. Die Sahne mit dem Zucker steif schlagen. Die Gelatine ausdrücken und in 5 El Kirschwasser bei sehr milder Hitze auflösen, mit 2 El Sahne glattrühren und unter die restliche Sahne mischen.

8. Die Hälfte der Sahne auf den mittleren Boden streichen, den Deckel aufsetzen und mit dem restlichen Kirschwasser beträufeln. Den Deckel und den Rand der Torte mit Sahne bestreichen.

9. Die restliche Sahne in einen Spritzbeutel (große Sterntülle) füllen und 12–14 dicke Tupfer auf den Rand spritzen. Die beiseitegestellten Kirschen daraufsetzen. Die Kuvertüre raspeln, den Rand und den Deckel der Torte damit garnieren.

Die Torte bis zum Servieren kalt stellen.

Zubereitungszeit: 1 1/2 Stunden (plus Kühlzeit)
Pro Stück (bei 14 Stücken)
7 g E, 21 g F, 47 g KH = 419 kcal (1754 kJ)

Gebackene Bodenseefelchen

Für 4 Portionen:
4 Bodenseefelchen (à 300 g)
4 El Zitronensaft
Salz
3 El Mehl
3 verquirlte Eigelb
3 El Semmelbrösel
Fett zum Ausbacken
Sauce
2 hartgekochte Eier
1 gepellte Zwiebel
1 Tl Kapern
1 Sardelle
1 Gewürzgurke
3 El frische Kräuter
1 Tl Kräutersenf
Zucker
125 g Mayonnaise

1. Die Bodenseefelchen ausnehmen, waschen, mit Zitronensaft beträufeln und mit Salz bestreuen. Zuerst in Mehl, dann in Eigelb und in Semmelbröseln wenden. Den Vorgang noch einmal wiederholen.

2. Das Fett erhitzen und die Fische etwa 12 Minuten darin ausbacken, bis sie goldgelb sind.

3. Für die Sauce das Eigelb durch ein Sieb streichen. Eiweiß, Zwiebel, Kapern, Sardelle, Gurke und Kräuter fein hacken und mit Senf, 1 Prise Zucker und Mayonnaise verrühren. Die Sauce zum Fisch servieren.

Dazu passen Salzkartoffeln.

Zubereitungszeit: 45 Minuten
Pro Portion 46 g E, 53 g F, 19 g KH = 734 kcal (3067 kJ)

Z'nüni:

Weil man im Schwarzwald so früh aufsteht und weil die viele frische Luft so hungrig macht, wurde das „Z'nüni" erfunden. Wie der Name schon sagt, wird dieses zweite Frühstück gegen neun Uhr eingenommen. Weil aber Bauernspeck, Wurst, Roggenbrot, Gutedel und Kirschwasser so gut schmecken, kann es sein, daß manch einer noch am Nachmittag dabei sitzt. Dann heißt das Z'nüni allerdings mittlerweile Vesper.

Badisches Schäufele mit Kartoffel-Guggumre-Salat

Für 4 Portionen:
1 Schäufele (etwa 1,3 kg, geräucherte und gepökelte Schweineschulter mit Knochen; beim Metzger vorbestellen)
1 Gemüsezwiebel (250 g)
1 Lorbeerblatt
1 kg kleine Kartoffeln (festkochend), Salz
1 Salatgurke (500 g)
1 El mittelscharfer Senf
weißer Pfeffer (a. d. Mühle)
1 Tl Zucker
7–8 El Weißweinessig
200 ml Öl
100 g Frühlingszwiebeln
1/2 Bund Brunnenkresse
1/2 Bund Dill
1/2 Bund Sauerampfer

1. Das Schäufele in einem Topf mit kaltem Wasser bedecken und bei milder Hitze etwa 2 Stunden leise kochen lassen. Dabei öfter mit der Schaumkelle abschäumen. Die Gemüsezwiebel pellen, grob würfeln und nach 30 Minuten mit dem Lorbeerblatt dazugeben. Das Schäufele nach Ende der Garzeit vom Herd nehmen und noch 15 Minuten im Kochsud liegen lassen.

2. Die Kartoffeln waschen, in Salzwasser bißfest kochen, leicht abkühlen lassen, dann pellen. Die Gurke schälen und in feine Scheiben hobeln, leicht salzen, auf einem Sieb abtropfen lassen.

3. Für die Vinaigrette Senf, Salz, Pfeffer und Zucker mit dem Essig verrühren. Mit dem Öl und 150 ml vom heißen Schäufelesud verrühren. Die Kartoffeln in dünnen Scheiben direkt in die heiße Vinaigrette schneiden. Schüssel mit Klarsichtfolie fest abdecken, durchziehen lassen.

4. Kurz vor dem Servieren die Frühlingszwiebeln putzen und das Weiße und das Hellgrüne in feine Scheiben schneiden. Die Brunnenkresse putzen, die Blätter von den Stielen zupfen. Dill fein schneiden, die Sauerampferblätter in Streifen schneiden.

5. Gurkenscheiben, Frühlingszwiebeln und Kräuter behutsam unter den Kartoffelsalat mischen, nachwürzen. Das Schäufele aus dem Sud nehmen und in dünne Scheiben schneiden.

6. Zum Servieren den Kartoffelsalat auf Teller verteilen, die Schäufelescheiben dazulegen und mit etwas Kochsud beträufeln.

Zubereitungszeit: 3 Stunden
Pro Portion 41 g E, 56 g F, 37 g KH = 819 kcal (3428 kJ)

4. MÜNCHEN/OBERE

Schweinshaxen-Soufflé mit Schwammerlsauce: Es ist mit einer Laugenbrezelfarce gefüllt und hat somit die Beilage schon in sich

4. MÜNCHEN/OBERBAYERN

Schweinshaxen-Soufflés

Zum Foto auf den Seiten 24/25

Für 6 Portionen:
Fleisch
1 Knoblauchzehe
1 Tl Kümmelkörner
1 Schweinshaxe (1,2 kg)
Salz, Pfeffer (a. d. Mühle)
30 g Schweineschmalz
120 g halbierte, ungepellte Zwiebeln
50 g Porreewürfel
120 g Möhrenwürfel
1 Tl weiße Pfefferkörner
2 Lorbeerblätter
1 Rosmarinzweig
2 Thymianzweige
1/2 l Malzbier
3/4 l Fleischbrühe
30 g Schweinenetz
Füllung
100 g Laugenbrezeln (altbacken)
40 g Butter
80 g Schalottenwürfel
80 ml Milch, 2 Eier
Salz, Pfeffer (a. d. Mühle)
frisch geriebene Muskatnuß
1 El gehackte Petersilie
6 Auflaufförmchen (à 150 ml Inhalt)

1. Knoblauch pellen, mit dem Kümmel fein hacken. Die Schweinshaxe mit Knoblauch, Kümmel, Salz und Pfeffer würzen.

2. Das Schweineschmalz im Bräter erhitzen, die Haxe darin rundherum anbraten. Zwiebeln mit Schale, Porree und Möhren zugeben und mitbraten. Pfefferkörner, angerissene Lorbeerblätter, Rosmarin und Thymian zugeben. Malzbier und Fleischbrühe zugießen.

3. Die Haxe im vorgeheizten Backofen auf der 2. Leiste von unten bei 180 Grad (Gas 2–3, Umluft 160 Grad) 1 1/2 Stunden garen. Die Haxe dabei mehrmals wenden.

4. Das Schweinenetz in kaltem Wasser etwa 1 Stunde wässern. Das Wasser dabei mehrmals auswechseln.

5. Für die Füllung die Brezeln klein würfeln. Die Butter in einer Pfanne zerlassen, Brezeln und Schalotten darin anbraten und in eine Schüssel umfüllen. Die warme Milch zugeben und etwas abkühlen lassen. Die Eier trennen. Das Eigelb unter die Brezelmasse rühren. Die Füllung mit Salz, Pfeffer, Muskat und Petersilie würzen.

6. Die Haxe aus dem Backofen nehmen, die Schwarte und das grobe Fett wegschneiden. Den Knochen auslösen. Das Fleisch in 2–3 cm große Stücke schneiden.

7. Die Haxensauce durch ein feines Sieb in einen anderen Topf umgießen und bis zur weiteren Verwendung beiseite stellen.

8. Das Schweinenetz gut abtropfen lassen, auf einem Küchentuch ausbreiten, trockentupfen und in 6 gleich große Stücke schneiden. Die Auflaufförmchen damit überlappend auslegen. Die Fleischstücke am Rand kreisförmig in die Förmchen legen.

9. Das Eiweiß steif schlagen und unter die Brezelfüllung heben. Die Brezelfüllung in die Mitte der Förmchen füllen. Das Schweinenetz über der Füllung zusammenschlagen und leicht andrücken.

10. Die Förmchen in eine feuerfeste Form stürzen und abnehmen. Etwa 200 ml Haxensauce darüber gießen. Die Haxen-Soufflés im vorgeheizten Backofen auf der 2. Leiste von unten bei 200 Grad (Gas 3, Umluft 180 Grad) etwa 15 Minuten überbacken, aus dem Ofen nehmen, servieren.

Dazu paßt eine Schwammerlsauce.

Zubereitungszeit: 2 1/2 Stunden
Pro Portion 39 g E, 37 g F, 18 g KH = 561 kcal (2349 kJ)

Schwammerlsauce

Zum Foto auf den Seiten 24/25

Für 6 Portionen:
200 g Pfifferlinge (oder Schafsfüße)
200 g Austernpilze
200 g Totentrompeten
(oder Champignons)
50 g Butterschmalz
60 g Schalottenwürfel
2 feingewürfelte Knoblauchzehen
Salz, Pfeffer (a. d. Mühle)
1–2 Sternaniszacken
300 ml Haxenschmorfond
(oder Fleischbrühe)
1 El gehackte Petersilie
2 El geschlagene Sahne

1. Alle Pilze putzen (möglichst nicht waschen) und in grobe Stücke schneiden.

2. Das Butterschmalz in einer großen Pfanne erhitzen, die Pilze darin anbraten. Schalotten und Knoblauch zugeben und kurz mitbraten, mit Salz, Pfeffer und geriebenem Sternanis würzen.

3. Die Haxensauce zugießen und etwas einkochen lassen. Zum Schluß die Petersilie und die Sahne unterheben.

Die Schwammerlsauce zu den Schweinshaxen-Soufflés servieren.

Zubereitungszeit: 30 Minuten
Pro Portion 2 g E, 11 g F, 1 g KH = 110 kcal (462 kJ)

Millirahmstrudel: Wenn die Köc

Millirahmstrudel

Zum Foto oben

Für 6–8 Portionen:
Strudelteig
150 g Mehl
1 El Öl, 1/2 Tl Salz
3–4 El Öl zum Einpinseln
Mehl für die Arbeitsfläche
Füllung
180 g getrocknete Aprikosen
3 El Rum, 50 g Butter ,80 g Zucker
2 Eier (getrennt, Gew.-Kl. 3)
1 Tl abgeriebene Zitronenschale
(unbehandelt)
1 Pk. Vanillezucker, Salz
200 g Magerquark
250 g Schmand, 1 El Mehl
Butter für die Form
Puderzucker zum Bestreuen
Eierguß
1/4 l Milch, 2 Eier
1 El Honig, Mark aus 1 Vanilleschote

chlechte Laune hat, gelingt er nicht – sagt man in Bayern

Vanillesauce

Zum Foto links

Für 6–8 Portionen:
1/4 l Schlagsahne
1/4 l Milch
80 g Zucker
2 Vanilleschoten
6 Eigelb (Gew.-Kl. 3)

1. Sahne, Milch, Zucker, ausgekratztes Vanillemark und die aufgeschlitzten Schoten aufkochen und etwas abkühlen lassen.

2. Das Eigelb in einem Schlagkessel verrühren. Die Vanillemilch durch ein Sieb zugießen und über dem heißen Wasserbad cremig aufschlagen, abkühlen lassen und zum Millirahmstrudel servieren.

Zubereitungszeit: 30 Minuten (plus Abkühlzeit)
Pro Portion (bei 8 Portionen)
5 g E, 16 g F, 12 g KH = 216 kcal (904 kJ)

Himbeermark

Zum Foto links

Für 6 Portionen:
300 g Tk-Himbeeren
80 g Puderzucker

1. Die Beeren auftauen lassen, mit dem Saft durch ein feines Sieb drücken.

2. Den Puderzucker durchsieben und mit dem Himbeermark verrühren.

Das Himbeermark zum Strudel servieren.

Zubereitungszeit: 10 Minuten (plus Auftauzeit)
Pro Portion 1 g E, 0 g F, 16 g KH = 72 kcal (300 kJ)

1. Für den Strudelteig das Mehl in eine Schüssel sieben. Mit Öl, 75 ml Wasser und Salz zu einem glatten Teig verkneten. Den Teig dick mit Öl einpinseln, in Klarsichtfolie einwickeln und an einem warmen Ort etwa 1 Stunde ruhen lassen.

2. Für die Füllung die Aprikosen würfeln und im Rum einweichen. Die zimmerwarme Butter mit der Hälfte des Zuckers schaumig rühren. Eigelb, Zitronenschale, Vanillezucker, 1 Prise Salz, Quark, Schmand und Mehl zugeben und glattrühren. Das Eiweiß mit dem restlichen Zucker steif schlagen und etwa 1 Minute weiterschlagen. Den Eischnee unter die Quarkfüllung heben.

3. Den Teig mit einem Küchentuch trockentupfen. Ein Strudeltuch mit etwas Mehl bestäuben. Den Teig zunächst mit einem Nudelholz so dünn wie möglich ausrollen, dann ganz dünn der Länge und der Breite nach ausziehen.

4. Die Aprikosen auf den Teig streuen. Die Quarkfüllung darauf glattstreichen. Die Teigränder rundherum gerade abschneiden. Den Teig links und rechts über die Füllung klappen, dann mit Hilfe des Tuches aufrollen. Die Handkante mit Mehl einstäuben, den Strudel in der Mitte durchteilen, dann mit dem Messer durchschneiden.

5. Eine Auflaufform (3 l Inhalt, 32x25 cm) mit Butter ausreiben. Die beiden Strudel vom Tuch vorsichtig nebeneinander in die Form gleiten lassen. Die Strudel im vorgeheizten Backofen auf der 2. Leiste von unten zunächst bei 180 Grad (Gas 2–3, Umluft 170 Grad) 15 Minuten backen.

6. In der Zwischenzeit für den Eierguß Milch, Eier, Honig und Vanillemark verrühren. Den Eierguß über die Strudel gießen und weitere 30–35 Minuten backen.

7. Den Millirahmstrudel aus dem Ofen nehmen, mit Puderzucker bestäuben und mit Vanillesauce und Beerenmark servieren.

Zubereitungszeit: 2 Stunden
Pro Portion (bei 8 Portionen) 13 g E, 22 g F, 48 g KH = 459 kcal (1925 kJ)

KLASSIKER

Bayerischer Schweinsbraten

Für 4–6 Portionen:
1 kg Schweinefleisch mit Schwarte (aus der Schulter oder Oberschale)
Salz
1 Tl Gewürznelken
1 Bund Suppengrün
1 Zwiebel
1 Lorbeerblatt
4 Pfefferkörner
1 Knoblauchzehe
1 Tl Speisestärke
etwas gekörnte Brühe
Pfeffer (a. d. Mühle)

1. Das Fleisch mit Salz einreiben und bei 225 Grad (Gas 4, Umluft 200 Grad) mit der Schwarte nach unten in die Bratenpfanne des Backofens legen. Mit 1/4 l heißem Wasser begießen und kräftig durchbraten.

2. Den Braten herausnehmen, die Schwarte mit einem scharfen Messer kreuzweise einritzen und an den Schnittpunkten mit Nelken spicken. Zurück in die Saftpfanne legen, diesmal mit der Schwarte nach oben, und weiterbraten. Das Fleisch häufig begießen.

3. Das Suppengrün putzen und die Zwiebel pellen und kleinschneiden. Dann zusammen mit dem Lorbeerblatt, den Pfefferkörnern und dem zerdrückten Knoblauch nach 45 Minuten zum Fleisch geben.

4. Kurz vor Ende der Garzeit die Schwarte mit Salzwasser bestreichen. Das Fleisch herausnehmen, warm stellen und vor dem Aufschneiden mindestens 10 Minuten ruhenlassen, damit der Fleischsaft sich setzt und nicht herausläuft.

5. Den Bratenfond durch ein Sieb streichen, mit angerührter Speisestärke binden und mit etwas gekörnter Brühe, Salz und Pfeffer abschmecken.

Krautsalat und Knödel zum Schweinsbraten servieren.

Zubereitungszeit: 1 1/2 Stunden
Pro Portion (bei 6 Portionen)
35 g E, 12 g F, 0 g KH = 250 kcal (1046 kJ)

E&T: Pro Kilo Fleisch wird die Bratzeit beim Schwein mit 60–70 Minuten berechnet.

Krautsalat

Für 15 Portionen:
2 kg Weißkohl
Salz
Zucker
Pfeffer (a. d. Mühle)
2 feingewürfelte Zwiebeln
6–8 El Weinessig
6 El Öl

1. Den geputzten Weißkohl in Stücke schneiden, fein hobeln und mit Salz bestreuen. Den Kohl mit dem Kartoffelstampfer oder den Händen so lange stampfen, bis sich etwas Saft bildet. Den Saft abgießen.

2. Den Kohl mit Salz, Zucker, Pfeffer, den Zwiebeln und Essig würzen. Zum Schluß das Öl unterrühren.

3. Den Salat gut durchziehen lassen. Vor dem Servieren eventuell nachwürzen.

Zubereitungszeit: 1/2 Stunde (plus Zeit zum Durchziehen)
Pro Portion 2 g E, 4 g F, 6 g KH = 69 kcal (289 kJ)

Kartoffelknödel

Für 12 Stück:
750 g Kartoffeln (mehligkochend)
Salz
130 g Butter
3 Eigelb (Gew.-Kl. 3)
100 g Speisestärke
weißer Pfeffer (a. d. Mühle)
frisch geriebene Muskatnuß
1 Scheibe Weizentoastbrot

1. Die Kartoffeln schälen, waschen, nicht zu klein schneiden und in Salzwasser weich kochen, auf einem Sieb abtropfen lassen und auf ein Backblech legen.

2. Die Kartoffeln im vorgeheizten Backofen auf der 2. Leiste von unten bei 130 Grad (Gas 1, Umluft 20 Minuten bei 110 Grad) ungefähr 20 Minuten ausdämpfen lassen, dann durch die Kartoffelpresse drücken.

3. Inzwischen 30 g Butter erhitzen, bis sie nußbraun wird. Mit Eigelb, Stärke, Salz, Pfeffer und Muskat zu den durchgepreßten Kartoffeln geben und schnell mit den Händen zu einem glatten Teig verkneten. Den Teig 1 Stunde ruhen lassen.

4. Inzwischen das Toastbrot grob würfeln und in der Moulinette fein zerkrümeln. Die restliche Butter in einem Topf aufschäumen lassen. Brotkrümel dazugeben und bei mittlerer Hitze goldbraun und knusprig rösten, dann salzen.

5. Aus dem Kartoffelteig 12 glatte runde Knödel formen und in kochendes Salzwasser gleiten lassen. Sobald die Knödel an die Oberfläche steigen, noch 10 Minuten leicht sieden lassen. Vor dem Servieren gut abtropfen lassen und mit den Butterbröseln bestreuen.

Zubereitungszeit: 1 Stunde (plus Ruhezeit für den Teig)
Pro Kloß 2 g E, 11 g F, 16 g KH = 176 kcal (736 kJ)

Bayerische Creme

Für 10 Portionen:
1/2 l Schlagsahne
1/4 l Milch
1 Vanilleschote
4 Eigelb (Gew.-Kl. 3)
200 g Puderzucker
6 Blatt weiße Gelatine
600 g Himbeeren
6 El Himbeergeist

1. Die Sahne steif schlagen und im Kühlschrank aufbewahren.

2. Die Milch mit der halbierten Vanilleschote aufkochen und durch ein Sieb gießen.

3. Eigelb und 100 g Puderzucker verrühren. Die heiße Milch darunterschlagen. Die Creme auf milder Hitze mit dem Schneebesen schlagen, bis sie dicklich wird und kurz vorm Kochen ist (nicht kochen lassen!). Die eingeweichte Gelatine darin auflösen und die Masse in Eiswasser kaltrühren.

4. Sobald die Masse anfängt zu stocken, die steif geschlagene Sahne unterheben. Die Creme im Kühlschrank fest werden lassen.

5. Für die Sauce die Himbeeren pürieren, mit restlichem Puderzucker und Himbeergeist verrühren und ebenfalls kalt stellen.

Die Sauce getrennt zur Bayerischen Creme servieren.

Zubereitungszeit: 1 Stunde
Pro Portion: 5 g E, 19 g F, 28 g KH = 317 kcal (1332 kJ)

Bayerischer Wurstsalat

Für 4 Portionen:
3 mittelgroße Möhren
300 g Fleischwurst in Scheiben
2–3 Zwiebeln
1 Gewürzgurke
1 großer Apfel
3 El Essig
4 El Öl
Salz, Pfeffer (a. d. Mühle)
1 Bund Schnittlauch

1. Die Möhren putzen und in wenig Wasser 10 Minuten kochen.

2. Inzwischen die Fleischwurst in 2–3 cm lange Streifen schneiden, die Zwiebeln pellen und in Ringe schneiden, die Gewürzgurke stifteln.

3. Den Apfel schälen, vierteln, entkernen, in Stücke schneiden und mit den vorbereiteten Zutaten in eine Salatschüssel geben.

4. Aus Essig, Öl, Salz und Pfeffer eine Salatsauce rühren und darübergießen.

5. Die gekochten Möhren grob würfeln und mit den anderen Zutaten unter die Apfelstückchen mischen. Den Schnittlauch kleinschneiden und vor dem Servieren über den Salat streuen.

Zubereitungszeit: 45 Minuten
Pro Portion 4 g E, 41 g F, 10 g KH = 420 kcal (1756 kJ)

Vom Leberkäse

Leberkäse gehört zu den ältesten bayerischen Schmankerln, genau gesagt ist er seit dem 16. Jahrhundert bekannt. Kein Bayer würde auf die Idee kommen, diese Spezialität zu Hause selber zuzubereiten. Ein Bayer, der auf sich hält, hat bezüglich seines ganz speziellen Leberkäses einen Metzger seines Vertrauens. Und jeder Metzger, der auf sich hält, kündigt den Leberkäse, sobald er aus dem Ofen kommt und eine braune Kruste hat, auf einem Schild vorm Laden an. Das ist gewöhnlich so gegen 10 Uhr. Ganz zünftig ist es, eine dicke Scheibe Leberkäse noch warm gleich aus dem gewachsten Papier zu essen. Man kann ihn natürlich auch mit nach Hause nehmen und ihn dort kalt essen oder noch einmal aufbraten. Vielleicht legt man sogar noch ein Spiegelei darauf und ißt ihn dann mit Kartoffelsalat, in dem auf keinen Fall Mayonnaise sein darf – sagen die Bayern.

Der Name Leberkäse ist übrigens ein wenig irreführend. Er kommt mitnichten vom Wort „Leber", er enthält auch keine. Der „Leberkäse" stammt vom „Laib" und ist tatsächlich geformt wie ein altbayerischer Bauernkäselaib.

Obatzta

Für 8 Portionen:
4 Pk. Doppelrahm-Frischkäse (à 250 g)
4 Tl Butter
4 Eigelb
2 feingewürfelte Zwiebeln
Salz
Pfeffer (a. d. Mühle)
edelsüßes Paprikapulver
1 Tl zerstoßene Kümmelkörner

1. Frischkäse und Butter mit einer Gabel erst zerdrücken und dann miteinander verrühren. Das Eigelb unterziehen und die Zwiebeln untermischen.

2. Den Käse herzhaft mit Salz, Pfeffer, Paprika und Kümmel würzen.

Dazu paßt derbes Bauernbrot genauso gut wie ein Nuß- oder Kürbisbrot.

Zubereitungszeit: 15 Minuten
Pro Portion 16 g E, 46 g F, 4 g KH = 994 kcal (2067 kJ)

Angela Inselkammer: Bayerin mit Herz und weltberühmter Brauerei. Und großem Wissen um die Geheimnisse der echten bayerischen Küche

Liptauer Käse

Für 4 Portionen:
500 g Magerquark
100 g Butter
2 El Kapern
2 Zwiebeln
Salz, Pfeffer (a. d. Mühle)
edelsüßes Paprikapulver

1. Den Quark mit der Butter glattrühren. Die Kapern fein hacken. Die gepellten Zwiebeln fein würfeln.

2. Den Quark mit Kapern und Zwiebeln mischen, mit Salz, Pfeffer und Paprika herzhaft abschmecken und vor dem Servieren 3 Stunden kalt durchziehen lassen.

Dazu passen eigentlich nur Laugenbrezeln.

Zubereitungszeit: 15 Minuten (plus Zeit zum Durchziehen)
Pro Portion 18 g E, 25 g F, 15 g KH = 358 kcal (1501 kJ)

Dampfnudeln mit Backobst

Für 4 Portionen:
250 g Mehl, 1/8 l Milch
20 g Hefe
80 g Butter
1 Ei (Gew.-Kl. 3)
Salz
50 g Zucker
250 g Backobst
150 g durchwachsener Speck

1. Mehl, lauwarme Milch, Hefe, 50 g Butter, das Ei, je 1 Prise Salz und Zucker zu einem nicht zu festen Teig verrühren. Alle Zutaten müssen zimmerwarm sein. Den Hefeteig zugedeckt 20 Minuten an einem warmen Platz gehen lassen.

2. Aus dem Hefeteig mit bemehlten Händen Klöße formen und auf einem bemehlten Tuch noch mal 20 Minuten zugedeckt gehen lassen.

3. In dieser Zeit das Backobst mit Zucker und wenig Wasser mehr dünsten als kochen.

4. In einem Bräter mit gut schließendem Deckel etwa 1 cm hoch Wasser mit 30 g Butter, je 1 Prise Salz und Zucker zum Kochen bringen. Die aufgegangenen Hefeklöße, die in Bayern Dampfnudeln heißen, hineinsetzen und zugedeckt zuerst auf milder, dann auf mittlerer Hitze aufziehen lassen. Das dauert 15–20 Minuten.

5. Inzwischen den Speck würfeln und ausbraten.

6. Wenn es im Bräter brutzelt, haben die Dampfnudeln ein goldbraunes Füßchen und sind gar. Dann muß der Deckel sehr schnell abgehoben werden, damit kein Wassertropfen auf die Dampfnudeln fällt. Sie fallen sonst zusammen.

7. Die Dampfnudeln herausnehmen, aufreißen und den ausgebratenen Speck daraufgeben. Das Backobst dazu reichen.

Zubereitungszeit: 1 1/2 Stunden
Pro Portion 14 g E, 49 g F, 92 g KH = 876 kcal (3669 kJ)

5. VORPOMMERN

Schweinefilet im Speckmantel mit süßsaurem Pilzgemüse und Hefeplinsen: handfeste Küche aus dem vorpommerschen Binnenland

5. VORPOMMERN

Schweinefilet im Speckmantel

Zum Foto auf den Seiten 30/31

Für 4 Portionen:
2 Mittelstücke vom Schweinefilet (à 250 g)
grob zerstoßenes Meersalz
20 g Butterschmalz
1 El gehackter Rosmarin
2 Tl gehackter Thymian
3 El gehackter Kerbel
3 El gehackte Petersilie
1 El Semmelbrösel
8 Scheiben Frühstücksspeck (à 20 g)
1 El milder Senf, Pfeffer (a. d. Mühle)
250 g Schalottenviertel
1/4 l Fleischbrühe, 40 g kalte Butter

1. Das Fleisch mit dem Meersalz würzen. Das Butterschmalz in einem Bräter erhitzen, das Fleisch darin rundherum anbraten und aus dem Bräter nehmen.

2. Die gehackten Kräuter mit den Semmelbröseln mischen und mit Meersalz würzen.

3. Je 4 Scheiben Speck überlappend auf je 1 Stück Klarsichtfolie legen und mit Senf bestreichen. Die Kräutermischung darauf streuen und je 1 Schweinefilet darauflegen. Die Filets mit Hilfe der Folie in den Speck einrollen. Die beiden Rollen mit Küchengarn zusammenbinden und mit Pfeffer würzen.

4. Die Rollen im Bräter von allen Seiten anbraten. Die Schalottenviertel zugeben und kurz mitrösten. Die Fleischbrühe zugießen und aufkochen lassen.

5. Das Filet im vorgeheizten Backofen auf der 2. Leiste von unten bei 200 Grad (Gas 3, Umluft 180 Grad) 15 Minuten garen.

6. Das Fleisch aus dem Bräter nehmen. Die Butter in kleinen Stücken in die Sauce rühren, salzen und pfeffern. Die Sauce darf nicht mehr kochen.

7. Das Küchengarn entfernen. Die Filets in Scheiben schneiden und mit der Schalottensauce servieren.

Zubereitungszeit: 50 Minuten
Pro Portion 31 g E, 47 g F, 6 g KH = 566 kcal (2368 kJ)

Süßsaures Pilzgemüse

Zum Foto auf den Seiten 30/31

Für 4 Portionen:
150 g Champignons, 200 g Pfifferlinge
1 Knoblauchzehe, 100 g Zwiebeln
40 g Butter, Salz
Pfeffer (a. d. Mühle), 1–2 El Weißweinessig
10 g Kandiszucker, 2 El gehackter Dill

1. Pilze putzen. Knoblauch und Zwiebeln pellen und fein würfeln. Knoblauch und Zwiebeln in der Butter glasig andünsten. Pilze zugeben und solange mitbraten, bis die Flüssigkeit wieder eingekocht ist. Zum Schluß mit Salz, Pfeffer, Essig, dem Kandiszucker und dem Dill würzen.

Zubereitungszeit: 20 Minuten
Pro Portion 2 g E, 9 g F, 4 g KH = 103 kcal (434 kJ)

Pommersches Dessert: Kartoffel-Mohn-Klöße mit Honigsabayo

Hefeplinsen

Zum Foto auf den Seiten 30/31

Für 4 Portionen:
130 ml Milch
20 g frische Hefe
Zucker
120 g Weizenmehl
60 g Roggenmehl
2 Eier (Gew.-Kl. 3), Salz
1 El gehackte Petersilie
1 El gehackter Kerbel
60 g Butterschmalz

1. Für den Vorteig die Milch erwärmen. Die Hefe und 1 Prise Zucker darin auflösen. Die Hefemilch mit dem Weizenmehl verrühren. Den Vorteig zugedeckt an einem warmen Ort 15 Minuten gehen lassen.

2. Den Vorteig mit Roggenmehl, Eiern, Salz, Petersilie und Kerbel zu einem glatten Teig verrühren und zugedeckt 20 Minuten gehen lassen.

3. Das Butterschmalz portionsweise in einer Pfanne erhitzen, mit einem Löffel kleine Teighäufchen hineinsetzen und etwas flachdrücken.

4. Die Plinsen bei milder Hitze auf beiden Seiten goldbraun backen (insgesamt pro Portion 3–4 Minuten). Die Plinsen nach dem Backen auf Küchenpapier abtropfen lassen. Die Hefeplinsen zum Schweinefilet im Speckmantel servieren.

Zubereitungszeit: 50 Minuten
Pro Portion 10 g E, 20 g F, 35 g KH = 359 kcal (1504 kJ)

Kartoffel-Mohn-Klöße

Zum Foto oben

Für 4–6 Portionen (etwa 20 Knödel):
Klöße
700 g Kartoffeln (mehligkochend)
Salz , 40 g Butter
60 g Mohn
140 g Mehl, 1 Eigelb
120 g Marzipanrohmasse
3 El Honiglikör
20 Backpflaumen (ohne Stein)
Speisestärke zum Bearbeiten
1 Vanilleschote, 1 Zimtstange
Brösel
80 g Butter, 40 g Mohnsaat
abgeriebene Schale von je 1 Orange und Zitrone (unbehandelt)
50 g Zucker
1 Pk. Vanillezucker
60 g Semmelbrösel
Puderzucker zum Bestäuben

1. Die Kartoffeln waschen, abtrocknen und auf einem Backblech im vorgeheizten Backofen bei 200 Grad (Gas 3, Umluft 180 Grad) 40 Minuten garen.

2. Die durchgedrückten Kartoffeln mit 1 Prise Salz würzen. Zimmerwarme Butter, Mohn, Mehl und Eigelb zugeben, alles zu einem glatten Teig verkneten.

3. Für die Füllung das Marzipan mit dem Honiglikör verkneten, zu einer Rolle formen und in 20 kleine Stücke teilen. Die Backpflaumen damit füllen.

4. Den Kartoffelteig in 20 kleine Teigstücke teilen. 1 Teigstück auf der mit Speisestärke eingepuderten Handfläche etwas flachdrücken, 1 Backpflaume daraufsetzen und mit beiden Händen einen runden Kloß daraus formen. Mit dem restlichen Teig und den restlichen Backpflaumen genauso verfahren.

5. In einem großen Topf Wasser mit Salz, der aufgeschlitzten Vanilleschote und der Zimtstange aufkochen. Die Klöße hineinlegen und 10–15 Minuten bei milder Hitze gar ziehen lassen.

6. Inzwischen für die Brösel die Butter in einer Pfanne zerlassen. Den Mohn darin kurz rösten. Die Orangen- und Zitronenschale, den Zucker, Vanillezucker und die Semmelbrösel unterrühren.

7. Die Klöße aus dem Wasser nehmen, gut abtropfen lassen und in den Bröseln wälzen. Die Klöße vor dem Servieren mit Puderzucker bestäuben. Einen Honigsabayon dazu servieren.

Zubereitungszeit: 1 1/4 Stunden
Pro Portion 4 g E, 10 g F, 24 g KH = 202 kcal (846 kJ)

Honigsabayon

Zum Foto links

Für 4–6 Portionen:
100 ml Weißwein
4 Eigelb (Gew.-Kl. 3)
40 g Zucker
4 El Honiglikör

1. Den Weißwein mit Eigelb und Zucker verrühren und über dem heißen Wasserbad cremig aufschlagen.

2. Den Sabayon vom Wasserbad nehmen, noch etwas weiterschlagen. Den Sabayon mit Honiglikör würzen und zu den Kartoffel-Mohn-Klößen servieren.

Zubereitungszeit: 15 Minuten
Pro Portion (bei 6 Portionen)
3 g E, 5 g F, 9 g KH = 107 kcal (449 kJ)

Pommerscher Gänsebraten

Für 8 Portionen:
1 junge Gans (etwa 3 kg)
Salz
6–8 Äpfel (z. B. Boskop)
3–4 El geriebenes Schwarzbrot
2 El Rosinen
2 El Zucker
1/8 l Fleischbrühe
1/2 El Mehl
Pfeffer (a. d. Mühle)

1. Die Gans ausnehmen, waschen und trockentupfen, dann innen und außen mit Salz einreiben.

2. Die Äpfel schälen, in Achtel schneiden und die Kerngehäuse entfernen. Das Schwarzbrot, die Rosinen, etwas Salz und den Zucker mit den Apfelspalten mischen.

3. Die Füllung in die Bauchhöhle der Gans geben, die Öffnungen mit Holzspießen verschließen. Die Flügel verschränken, die Keulen am Körper mit Küchengarn festbinden.

4. 1/2 l Wasser in die Bratenpfanne vom Backofen gießen. Die Bratenpfanne im vorgeheizten Backofen auf die untere Leiste setzen. Die Gans mit der Brust nach unten auf den Rost legen. Den Rost auf die Bratenpfanne setzen. Die Gans bei 200 Grad (Gas 3, Umluft 180 Grad) braten. Nach 1 Stunde Bratzeit umdrehen. Dann noch rund 1 1/2–2 Stunden weiterbraten (je nach Gewicht).

5. Zwischendurch die Haut anstechen, damit das Fett ausbrät. Zuletzt etwas Salzwasser auf die Brust streichen und die Hitze verstärken, damit die Haut schön kroß wird. Die Gans auf einer Bratenplatte im ausgeschalteten Backofen warm halten.

6. Den Bratenfond in einen Topf schütten. Die Brühe in die Pfanne gießen und den Bratensatz lösen und ebenfalls in den Topf gießen. Das Fett so weit wie möglich abschöpfen. Die Sauce mit in Wasser angerührtem Mehl binden und mit Salz und Pfeffer abschmecken.

Zur Gans Salzkartoffeln und Apfelrotkohl reichen.

Zubereitungszeit: 3 Stunden
Pro Portion 31 g E, 59 g F, 26 g KH = 751 kcal (3141 kJ)

E&T: In Mecklenburg wird die Gans mit Apfelspalten und entsteinten, in Wasser oder Rum eingeweichten Backpflaumen gefüllt.

Margarethe von Maltzahn pflegt pommersche Gastfreundschaft im Schloßhotel Vanselow

Hefekartoffeln

Für 4 Portionen:
750 g Kartoffeln (festkochend)
60 g Margarine
4–6 Zwiebeln (oder 2 Porreestangen)
1 Hefewürfel (42 g)
40 g Mehl
1/2 l Fleischbrühe
Salz
1 Bund Schnittlauch
50 g weiche Butterflöckchen

1. Die Kartoffeln in der Schale kochen, abgießen, mit kaltem Wasser abschrecken und noch warm pellen, dann in Scheiben schneiden.

2. Die Margarine zerlassen und die gewürfelten Zwiebeln darin glasig braten. Die zerbröckelte Hefe zugeben und unter Rühren flüssig werden lassen. Das Mehl darüberstäuben und unter Rühren hell anbräunen. Mit der heißen Fleischbrühe ablöschen und 10 Minuten durchkochen lassen. Die Sauce mit Salz abschmecken und den gehackten Schnittlauch unterrühren.

3. In eine flache Auflaufform abwechselnd Kartoffelscheiben und Sauce einfüllen. Auf die letzte Schicht Butterflöckchen setzen. Die Form in den vorgeheizten Backofen schieben. Die Hefekartoffeln bei 200 Grad (Gas 3, Umluft 180 Grad) etwa 45 Minuten backen.

Die Hefekartoffeln in der Form servieren. Dazu außerdem einen grünen Salat reichen.

Zubereitungszeit: 1 1/2 Stunden
Pro Portion 7 g E, 18 g F, 33 g KH = 326 kcal (1359 kJ)

6. BREMEN/OSTFRIESL

Steinbutt aus dem Ofen mit Senfsabayon und Korianderkartoffeln: Johann Lafers Beitrag zu feiner bremischer Fischküche

6. BREMEN/OSTFRIESLAND

In Ostfriesentee mariniert: Teebraten mit Hagebuttensauce, Blumenkohl und Kerbelnudeln

In starkem, schwarzen Tee gekocht: Dörrobstkompott – in bester ostfriesischer Tradition

Steinbutt aus dem Ofen

Zum Foto auf den Seiten 34/35

Für 4 Portionen:
1 Steinbutt (2 kg, vom Fischhändler geputzt und ausgenommen)
150 g Schalotten, 100 g Staudensellerie
60 g Porree, 100 g Möhren
Salz, 40 g Mehl
3 El Öl, 60 g Butter
100 ml Weißwein, Pfeffer (a. d. Mühle)
2 El gehackte Petersilie
Filets von 1 Zitrone (unbehandelt)

1. Von dem Steinbutt Kopf, Schwanz und die seitlichen Flossen abschneiden. Das Fischstück mit den Gräten in 4 gleich große Stücke schneiden (wenn möglich sollte das der Fischhändler machen).

2. Die Schalotten schälen und vierteln. Staudensellerie, Porree und Möhren putzen, in kleine Stücke schneiden.

3. Die Fischstücke salzen, in Mehl wenden und etwas abklopfen. Das Öl in einem Bräter erhitzen, die Fischstücke von beiden Seiten anbraten und aus dem Bräter nehmen. Die Hälfte der Butter zugeben, das vorbereitete Gemüse darin kurz anrösten. Die Fischstücke auf das Gemüse legen.

4. Den Fisch im vorgeheizten Backofen auf der 2. Leiste von unten bei 160 Grad (Gas 1–2, Umluft 140 Grad) 10–15 Minuten sanft garen.

5. Die Fischstücke auf einen Teller legen und warm halten. Das Gemüse mit dem Weißwein aufgießen und kurz einkochen lassen. Die restliche Butter einrühren. Das Gemüse mit Salz und Pfeffer würzen. Den Fisch auf das Gemüsebett legen und mit Petersilie und Zitronenfilets garnieren.

Den Steinbutt mit einem Senfsabayon und Korianderkartoffeln servieren.

Zubereitungszeit: 45 Minuten
Pro Portion 52 g E, 26 g F, 12 g KH = 499 kcal (2090 kJ)

Senfsabayon

Zum Foto auf den Seiten 34/35

Für 4 Portionen:
1 feingewürfelte Schalotte
50 g weiche Butter, 100 ml Weißwein
50 ml Fischfond (a. d. Glas)
4 Eigelb (Gew.-Kl. 3), Salz
Pfeffer (a. d. Mühle), 1 El süßer Senf

1. Die Schalottenwürfel in 15 g Butter glasig dünsten, mit Weißwein und Fischfond aufgießen, etwa 5 Minuten bei starker Hitze einkochen und dann abkühlen lassen.

2. Das Eigelb mit dem Schalottensud verrühren und über dem heißen Wasserbad zum cremigen Sabayon aufschlagen. Die restliche Butter unter den Sabayon rühren, mit Salz, Pfeffer und Senf würzen.

Den Senfsabayon zum Steinbutt servieren.

Zubereitungszeit: 30 Minuten
Pro Portion 4 g E, 19 g F, 1 g KH = 195 kcal (818 kJ)

Korianderkartoffeln

Zum Foto auf den Seiten 34/35

Für 4 Portionen (als Beilage):
400 g Kartoffeln
Salz
2 Tl Korianderkörner
40 g Butter
1/2 Bund Koriandergrün

1. Die Kartoffeln schälen, waschen und in Salzwasser garen, abgießen und ausdämpfen lassen.

2. In der Zwischenzeit die Korianderkörner grob hacken. Die Butter in einer Pfanne erhitzen, die Korianderkörner darin kurz rösten. Die Kartoffeln zugeben und zum Schluß die Korianderblätter unterziehen.

Die Korianderkartoffeln zum Steinbutt servieren.

Zubereitungszeit: 40 Minuten
Pro Portion 2 g E, 8 g F, 12 g KH = 132 kcal (552 kJ)

Bremer Teebraten mit Hagebuttensauce

Zum Foto links oben

Für 4 Portionen:
1 kg Rinderschmorbraten (aus der Keule)
1/2 l Rotwein
1 Tl Ostfriesenteemischung
3 El Hagebuttentee
2 Lorbeerblätter
3 Gewürznelken
1 Zimtstange
1 El weiße Pfefferkörner
180 g Zwiebeln
180 g Möhren
100 g Sellerie
150 g Porree
Salz
30 g Butterschmalz
1–2 Tl Hagebuttenmark

1. Das Fleisch mit einem scharfen Messer parieren (Haut, Sehnen und Fett wegschneiden).

2. Rotwein mit 1/2 l Wasser, schwarzem Tee, Hagebuttentee, Lorbeerblättern, Nelken, Zimt und den Pfefferkörnern aufkochen und abkühlen lassen.

3. Zwiebeln, Möhren, Sellerie und Porree schälen bzw. putzen und grob würfeln.

4. Einen großen Gefrierbeutel in eine Schüssel stellen, das Fleisch mit den Parüren und dem grob geschnittenen Gemüse hineinlegen. Die Marinade hineingießen und den Beutel verschließen. Das Fleisch über Nacht im Kühlschrank marinieren lassen.

5. Das Fleisch und die Marinade in ein Sieb gießen. Die Marinade dabei auffangen. Das Fleisch mit Küchenpapier trockentupfen und großzügig salzen.

6. Das Butterschmalz in einem hohen, schmalen Topf erhitzen. Das Fleisch darin von allen Seiten anbraten. Das Gemüse aus der Marinade mit den Gewürzen und den Parüren zugeben und kurz mitbraten. Die Marinade zugießen. Das Fleisch zugedeckt bei milder Hitze etwa 2 Stunden schmoren.

7. Das Fleisch aus dem Topf nehmen und warm stellen. Die Sauce durch ein Sieb in einen anderen Topf gießen. Das Gemüse dabei gut durchdrücken. Die Sauce etwa um ein Drittel einkochen lassen. Das Hagebuttenmark einrühren und die Sauce vorsichtig salzen.

8. Den Teebraten in Scheiben schneiden und mit der Hagebuttensauce servieren.

Dazu gibt es gebackenen Blumenkohl und Kerbelnudeln.

Zubereitungszeit: 2 1/2 Stunden (plus Zeit zum Marinieren)
Pro Portion 52 g E, 18 g F, 1 g KH = 419 kcal (1754 kJ)

Gebackener Blumenkohl

Zum Foto links oben

Für 4 Portionen (als Beilage):
1 Blumenkohl (600–700 g), Salz
2 Kümmelstangen (vom Vortag, à 70 g)
1 Tl feingehackte Kümmelkörner
60 g Mehl
1 Ei, Öl zum Fritieren

1. Den Blumenkohl putzen, in kleine Röschen teilen, waschen, abtropfen lassen.

2. Die Blumenkohlröschen in kochendem Salzwasser in 3–4 Minuten bißfest garen, herausnehmen, in kaltem Wasser abschrecken und gut abtropfen lassen.

3. Die Kümmelstangen in einer Küchenmaschine (Moulinette) fein zermahlen, in eine flache Schale umfüllen und den gehackten Kümmel untermischen. Das Mehl in eine flache Schale sieben. Das Ei in einer flachen Schale verquirlen.

4. Die Blumenkohlröschen zunächst im Mehl wenden, dann durch das Ei ziehen und zuletzt mit den Bröseln panieren.

5. Das Öl erhitzen und die Röschen darin portionsweise goldbraun ausbacken. Die Röschen mit einer Fritierkelle aus dem Öl nehmen, auf einem Küchentuch abtropfen lassen und eventuell noch salzen.

Den gebackenen Blumenkohl zum Teebraten servieren.

Zubereitungszeit: 40 Minuten
Pro Portion 8 g E, 22 g F, 31 g KH = 359 kcal (1504 kJ)

Kerbelnudeln

Zum Foto auf Seite 36 links oben

Für 4 Portionen:
Teig
300 g Mehl, 2 Eier (Gew.-Kl. 3)
2 Eigelb (Gew.-Kl. 3)
Salz, 3–4 El Öl
Mehl zum Bearbeiten
außerdem
Salz, 50 g Butter
2 El Kerbelblätter und Kerbel zum Garnieren

1. Für den Nudelteig aus Mehl, Eiern, Eigelb, Salz, Öl und 1–2 El Wasser einen geschmeidigen Teig kneten. Den Teig in Folie eingewickelt im Kühlschrank etwa 1 Stunde ruhenlassen.

2. 200 g Teig in 2 Stücke teilen (Rest einfrieren). Die Teigstücke nacheinander mit der Nudelmaschine von Stufe 5–1 etwa 2 mm dünn ausrollen. Die Teigplatten auf der bemehlten Arbeitsfläche in 20 cm lange Nudelplatten schneiden. Aus den Nudelplatten (mit Hilfe des Bandnudelaufsatzes der Nudelmaschine) Bandnudeln schneiden.

3. 200 g frische Bandnudeln portionsweise in kochendem Salzwasser 2 Minuten garen. Die Nudeln in kaltem Wasser abschrecken.

4. Die Butter in einer Pfanne zerlassen. Die Nudeln zugeben und darin erwärmen, salzen und den gehackten Kerbel unterheben.

Die Nudeln mit Kerbelblättchen bestreuen und zum Teebraten servieren.

Zubereitungszeit: 45 Minuten (plus Zeit zum Ruhen)
Pro Portion 13 g E, 26 g F, 54 g KH = 502 kcal (2103 kJ)

Dörrobstkompott

Zum Foto auf Seite 36 unten

Für 8 Portionen:
100 g Zucker
1 Vanillestange
5 Gewürznelken, 1 Zimtstange
2 Beutel schwarzer Tee
100 g Kurpflaumen
50 g Rosinen
100 g getrocknete Apfelringe
100 g getrocknete Aprikosen
100 g getrocknete Birnen
50 ml Rum (54 %)
3 El Balsamessig

1. 600 ml Wasser mit dem Zucker, der aufgeschlitzten Vanilleschote, den Nelken, der Zimtstange und dem Tee aufkochen und 5 Minuten ziehen lassen. Die Teebeutel herausnehmen.

2. Die Trockenfrüchte in den Gewürzsud geben. Den Sud einmal aufkochen und abkühlen lassen.

3. Die Früchte mit Rum und Essig würzen, in ein Einweckglas umfüllen und im heißen Wasserbad 15–20 Minuten sterilisieren.

Zubereitungszeit: 45 Minuten
Pro Portion 2 g E, 1 g F, 45 g KH = 214 kcal (898 kJ)

Bremer Kükenragout

Für 4 Portionen:
2 Stubenküken (à 300 g, küchenfertig vorbereitet)
Salz
2 Möhren
1/4 Sellerieknolle
1 Porreestange
1 Zwiebel
125 g Spargel
Zucker
125 g Erbsen
50 g Butter
50 g Mehl
3/8 l Hühnerbrühe
100 g feine Champignonscheiben
1 El Zitronensaft
125 g gegarte Krebsschwänze
1 Eigelb
1/2 Glas trockener Weißwein
125 g geschälte Krabben

1. Die Stubenküken in etwa 1 l leicht gesalzenem Wasser mit dem grob gewürfelten Gemüse (Möhren, Sellerie und Porree) und der geschälten Zwiebel in etwa 45 Minuten weich kochen. Die Stubenküken in der Brühe kalt werden lassen, herausnehmen und die Brühe durch ein Sieb gießen.

2. Den Spargel schälen, tropfnaß mit 1 Prise Zucker in wenig Salzwasser garen, herausnehmen, abtropfen lassen, jede Stange in 3 Teile schneiden.

3. Die Erbsen in wenig Salzwasser garen und abgießen.

4. Die Butter zerlassen, das Mehl darin anschwitzen und mit 1/8 l heißer Hühnerbrühe glattrühren.

5. Die Champignons in der restlichen Hühnerbrühe garen, mit der Brühe in die Sauce gießen und mit Zitronensaft abschmecken.

6. Das Stubenkükenfleisch häuten, in mundgerechte Stücke schneiden und in die heiße Sauce geben. Spargel, Erbsen und Krebsschwänze in die Sauce geben.

7. Das Eigelb mit Weißwein verrühren, das Ragout damit legieren. Zum Schluß, kurz vor dem Servieren, die geschälten Krabben ins Ragout geben und heiß werden lassen.

Dazu paßt körniger Reis.

Zubereitungszeit: 1 1/2 Stunden
Pro Portion 32 g E, 21 g F, 15 g KH = 382 kcal (1598 kJ)

Grünkohl und Pinkel

Für 4 Portionen:
2 kg Grünkohl (schon von den Rispen gestreift)
1 kg Kasseler, 75 g Schweineschmalz
500 g Zwiebelscheiben
Salz, Pfeffer (a. d. Mühle)
1 Tl Zucker, 8 Kochwürste
300 g durchwachsener Speck
50 g Hafergrütze, 3 Pinkelwürste

1. Den Kohl waschen, bis er sauber ist, und gut abtropfen lassen.

2. Das Kasseler im Schmalz zusammen mit einigen Zwiebelscheiben von allen Seiten anbraten. Das Fleisch aus dem Topf nehmen.

3. Den Kohl in den Topf geben und bei milder Hitze so lange kochen, bis er zusammenfällt. Die restlichen Zwiebelscheiben zugeben. Mit Salz, Pfeffer und Zucker kräftig würzen.

4. Kasseler, Kochwürste und Speck auf den Kohl legen und mit 3/4 l kaltem Wasser begießen. Den Kohl bei milder Hitze im geschlossenen Topf 1 1/2 Stunden sanft kochen lassen. Das Fleisch aus dem Topf nehmen und zugedeckt warm halten.

5. Die Hafergrütze über den Kohl streuen, die Pinkelwürste obendrauf legen. Den Kohl weitere 30 Minuten bei kleiner Hitze leise kochen lassen.

6. 1 Pinkelwurst aufschneiden und das Innere unter den Kohl mischen, mit Salz und Pfeffer abschmecken. Das Fleisch wieder hineinlegen und erhitzen.

Kohl und Pinkel sehr heiß mit Salz- oder Bratkartoffeln servieren. Senf und eisgekühlter Korn gehören dazu!

Zubereitungszeit: 2 1/2 Stunden
Pro Portion 68 g E, 142 g F, 27 g KH = 1639 kcal (6871 kJ)

Krabbenbrot

Für 4 Portionen:
4 Scheiben Vollkornbrot, 60 g Butter
250 g frische Nordseekrabben

1. Die Brotscheiben mit Butter bestreichen.

2. Die gebutterten Brotscheiben auf Teller legen und mit den frischen Krabben bestreuen.

Zubereitungszeit: 10 Minuten
Pro Portion 15 g E, 14 g F, 23 g KH = 275 kcal (1149 kJ)

Selbstgemachter Pinkel

Für 6—8 Portionen 500 g Flomen durch den Fleischwolf drehen. 500 g Zwiebeln schälen und würfeln. In einem Topf 2 El Flomen zerlassen, die Zwiebeln darin andünsten. Den restlichen Flomen und 500 g Hafergrütze zugeben. Die Masse mit Piment, Salz und Pfeffer würzen und gut verkneten, in einen Leinenbeutel füllen und etwa 1 1/2 Stunden auf Grünkohl mitkochen. Danach 1 El Pinkel aus dem Beutel nehmen und unter den Kohl mischen. Die Pinkelmasse mit Kohl, Kasseler, Kochwürsten und Kartoffeln anrichten.

Ostfriesische Teecreme

Für 4 Portionen:
4 Blatt Gelatine
4 El schwarzer Tee, 100 g Zucker
3 Eigelb (Gew.-Kl. 3)
100 ml Milch, 250 g Schlagsahne
1/2 Vanilleschote
1 Glas Rosinen in Rum

1. 3 Blatt Gelatine einweichen. Tee mit 1/8 l heißem Wasser überbrühen, ziehen lassen, dann 50 ml Flüssigkeit davon abnehmen.

2. Zucker und Eigelb schaumig rühren. Milch, 50 g Sahne, Tee und Vanillemark aufkochen, vom Herd nehmen, die Eigelbmischung zugeben, rühren, bis die Creme fast kocht, dann sofort vom Herd nehmen.

3. Die eingeweichte Gelatine in die warme Creme geben, verrühren, kalt stellen. Wenn die Creme an den Seiten fest wird, die restliche geschlagene Sahne unterheben.

4. Die Rosinen abtropfen lassen, die Hälfte davon vorsichtig unter die Masse heben. In eine Schüssel füllen und kalt stellen.

5. Die übrigen Rosinen halbieren und nach 20 Minuten auf die kalte Creme legen.

6. Das letzte Blatt Gelatine einweichen und in dem erwärmten Rum auflösen, über die Rosinen gießen und bis zum Servieren kalt stellen.

Zubereitungszeit: 1 Stunde
Pro Portion 7 g E, 26 g F, 32 g KH = 402 kcal (1683 kJ)

Der Bremer Journalist Werner Schwarz weiß viel über hanseatische Küchentraditionen und ostfriesische Teesitten

Matjes mit grünen Bohnen, Pellkartoffeln und Specksauce

Für 4 Portionen:
1 1/2 kg Kartoffeln
Salz
1 El Kümmelkörner
1 kg grüne Bohnen
1 Bund Bohnenkraut
4 Zwiebeln
250 g durchwachsener Speck
12 Matjesfilets
reichlich Eiswürfel
1 Bund gehackte Petersilie

1. Die Kartoffeln in Salzwasser mit Kümmel als Pellkartoffeln kochen.

2. Die Bohnen putzen, mit dem Bohnenkraut in Salzwasser garen.

3. Inzwischen die Zwiebeln schälen und in Ringe schneiden. Den Speck würfeln und in einer Pfanne ausbraten.

4. Die Matjesfilets mit Küchenpapier abtupfen, eventuell fischige Stellen an der Bauchseite abschneiden.

5. Die Eiswürfel auf eine Platte geben, die Matjesfilets darauf anrichten und mit den Zwiebelringen belegen. Die grünen Bohnen (ohne Bohnenkraut) mit Petersilie bestreuen und extra reichen. Die gepellten Kartoffeln in einer Schüssel anrichten und mit Specksauce und -grieben begießen.

Zubereitungszeit: 45 Minuten
Pro Portion 59 g E, 103 g F, 55 g KH = 1384 kcal (5787 kJ)

Ein Wort zum Matjes:

Die Matjessaison beginnt im Juni, wenn die Heringslogger, von denen es leider nur noch sehr wenige gibt, mit den ersten Heringsfängen der Saison nach Hause kommen. Der Matjes (sein Name kommt aus dem Niederländischen von „Meisjes" – junge Mädchen) muß seinem Namen entsprechend ein jungfräulicher Hering sein. Er wird gleich auf See gekehlt (geschlachtet) und gesalzen.

Noch vor wenigen Jahren konnten durchaus ernsthafte Leute stundenlange Streitgespräche darüber führen, welche Matjesheringe die besseren seien, die aus Glückstadt, die aus Vegesack oder die aus Holland. Diese Diskussionen haben sich erübrigt: Mangels deutscher Heringsmasse in Nord- und Ostsee bekommen wir unseren frischen Matjes aus Holland. Und der ist richtig gut.

7. SACHSEN

Frischlingsrücken mit Pfefferkuchenkruste und Wickelkloß: von Johann Lafer aus der sächsischen Hofküche für unsere Zeit umgesetzt

7. SACHSEN

Frischlingsrücken mit Pfefferkuchenkruste

Zum Foto auf den Seiten 40/41

Für 4–6 Portionen:
1 Frischlingsrücken (1,5 kg, mit Knochen)
50 g Butterschmalz
100 g Selleriewürfel, 100 g Möhrenwürfel
100 g Zwiebelwürfel, 50 g Porreewürfel
2 Lorbeerblätter, 9 Thymianzweige
10 Wacholderbeeren
2 El Tomatenketchup, 1/2 l Rotwein
4 Rosmarinzweige
100 g zimmerwarme Butter, 1 Eigelb
30 g Semmelbrösel, Salz
70 g geriebener Pfefferkuchen
Pfeffer (a. d. Mühle)
1 Tl Speisestärke
100 g Preiselbeerkompott, 2–3 El Gin

1. Den Frischlingsrücken auslösen und parieren. Die beiden langen Stränge in 4 gleich große Stücke schneiden, mit Klarsichtfolie zudecken und beiseite stellen. Die Knochen kleinhacken.

2. Für den Fond 30 g Butterschmalz im Bräter erhitzen. Die Knochen darin anbraten. Die Gemüsewürfel zugeben und 5 Minuten mitrösten. Lorbeer, 3 Thymianzweige und 5 Wacholderbeeren zugeben. Den Ketchup unterrühren. Den Rotwein zugießen, 10 Minuten einkochen lassen. Den Saucenansatz mit 2 l Wasser aufgießen und 2 Stunden bei milder Hitze leise kochen lassen. Die Trübstoffe abschöpfen.

3. Inzwischen für die Pfefferkuchenkruste von 2 Rosmarinzweigen die Nadeln abzupfen und fein hacken. Die Butter mit dem Eigelb schaumig rühren. Den gehackten Rosmarin und die Semmelbrösel zugeben und mit Salz würzen. Zum Schluß den Pfefferkuchen unterrühren. Die Masse zwischen 2 Klarsichtfolien (20x20 cm) 3 mm dünn ausrollen und in der Folie kalt stellen.

4. Ein Sieb mit einem Mulltuch auslegen. Den Wildfond in einen Topf umgießen, in 40 Minuten offen auf die Hälfte einkochen .

5. Die Filets von allen Seiten salzen und pfeffern. Das restliche Butterschmalz erhitzen und das Fleisch rundherum anbraten. Den restlichen Rosmarin und 3 Thymianzweige zum Würzen mit in die Pfanne geben. Ein Stück Alufolie unter die Fleischstücke legen und das Fleisch mit dem Bratfett beschöpfen. Die Kräuter aus der Pfanne auf das Fleisch legen.

6. Im vorgeheizten Backofen auf der 2. Leiste von unten bei 160 Grad (Gas 1–2, Umluft 150 Grad) 15–20 Minuten braten.

7. Den eingekochten Wildfond mit Salz und Pfeffer würzen. Die Speisestärke mit etwas kaltem Wasser anrühren und die Sauce damit leicht binden. Die restlichen Thymianblättchen abzupfen und fein hacken. Die Sauce mit Preiselbeerkompott, Thymianblättchen, dem restlichen gemahlenen Wacholder (Gewürzmühle) und Gin würzen.

8. Das Fleisch aus dem Ofen nehmen und etwas abkühlen lassen. Von der Pfefferkuchenkruste die obere Folie abziehen. Die Platte in 4 breite Streifen schneiden. Die Streifen kopfüber auf die Fleischstücke legen, die Folie abziehen. Das Fleisch unter dem Backofengrill 3–4 Minuten gratinieren.

9. Die Frischlingsfilets in Scheiben schneiden und mit der Sauce servieren.

Zubereitungszeit: 3 Stunden
Pro Portion (bei 6 Portionen)
35 g E, 30 g F, 26 g KH = 552 kcal (2315 kJ)

Wickelkloß

Zum Foto auf den Seiten 40/41

Für 4 Portionen (12–14 Scheiben):
1 kg Kartoffeln (mehligkochend)
70 g Zwiebeln
150 g Champignons
100 g Austernpilze, 50 g Butter
Salz, Pfeffer (a. d. Mühle)
1 El gehackte Petersilie
frisch geriebene Muskatnuß
1 Ei (Gew.-Kl. 3), 1 Tl Backpulver
130 g Mehl, 1–2 El Milch
Speisestärke zum Ausrollen
2 l Fleischbrühe

1. Die Kartoffeln waschen und im vorgeheizten Backofen auf der 2. Leiste von unten bei 200 Grad (Gas 3, Umluft 180 Grad) 40 Minuten garen.

2. In der Zwischenzeit für die Füllung die Zwiebeln pellen und fein würfeln. Die Pilze putzen und kleinschneiden.

3. Die Butter in einer Pfanne erhitzen, die Pilze darin anbraten, salzen und pfeffern. Die Zwiebeln zugeben und kurz mitbraten. Zum Schluß die Petersilie unterschwenken. Die Pilzfarce abkühlen lassen.

4. Die Kartoffeln pellen und noch warm durch die Kartoffelpresse drücken. Die Masse mit Muskat und Salz würzen. Ei, Backpulver, Mehl und Milch zugeben. Alle Zutaten zu einem glatten Teig verkneten.

5. Den Teig zwischen 2 Klarsichtfolien ausrollen (35x25 cm). Die obere Folie abziehen. Ein Küchentuch mit Speisestärke bestreuen. Die Kartoffelteigplatte mit der Folie nach oben auf das Küchentuch stürzen. Die Folie abziehen. Die Pilzfarce gleichmäßig auf den Kartoffelteig streichen, dabei die Ränder frei lassen. Den Teig mit dem Küchentuch auf der breiten Seite zum Strudel aufrollen, die Enden mit Küchengarn zubinden.

6. Die Fleischbrühe in einem Bräter aufkochen lassen. Die Hitze zurückschalten. Den Wickelkloß hineinlegen und 30 Minuten gar ziehen lassen. Den Kloß herausnehmen, gut abtropfen lassen, aus dem Tuch rollen und in Scheiben schneiden.

Den aufgeschnittenen Wickelkloß zum Frischlingsrücken servieren.

Zubereitungszeit: 1 1/2 Stunden
Pro Portion (bei 14 Scheiben)
3 g E, 4 g F, 17 g KH = 114 kcal (478 kJ)

Gebratene Lachsforelle im Sal

Gebratene Lachsforelle im Salatbett

Zum Foto oben

Für 4 Portionen:
350 g Lachsforellenfilet
1 Tl Korianderkörner
100 ml Traubenkernöl
1–2 El Zitronensaft
Salz
1 Kopfsalat
150 g Brunnenkresse
250 g Kirschtomaten
1 Bund Kerbel
Sauce
2 Eigelb
1 Tl Senf
120 ml Walnußöl
2 El Weißweinessig
3 El Fleischbrühe
40 g Schalottenwürfel
1 feingewürfelte Knoblauchzehe
Salz, Pfeffer (a. d. Mühle)

KLASSIKER

ett: mit Koriander mariniert

1. Die Fischfilets in gleich große Stücke schneiden. Die Korianderkörner grob hacken und mit dem Traubenkernöl in eine feuerfeste Form geben. Die Fischfilets von beiden Seiten mit dem Zitronensaft beträufeln, salzen und mit der Hautseite nach oben in die Form legen.

2. Salat und Brunnenkresse putzen, waschen und gut abtropfen lassen. Die Kirschtomaten halbieren. Die Kerbelblätter von den Stielen zupfen. Salat, Brunnenkresse, Kirschtomaten und Kerbel auf einer Platte anrichten.

3. Für die Sauce das Eigelb mit dem Senf verrühren. Langsam das Walnußöl einlaufen lassen. Essig, Fleischbrühe, Schalotten und Knoblauch unterrühren, mit Salz und Pfeffer würzen. Die Sauce über den Salat träufeln und leicht durchmischen.

4. Die Forellenfilets im vorgeheizten Backofen auf der 2. Leiste von unten einsetzen und unter dem Grill 3–5 Minuten gratinieren.

5. Den Fisch aus dem Ofen nehmen und vorsichtig die Haut abziehen. Die Filets in große Stücke teilen, auf dem Salat anrichten und warm servieren.

Zubereitungszeit: 1 Stunde
Pro Portion 22 g E, 51 g F, 4 g KH = 563 kcal (2358 kJ)

Dresdner Weihnachtsstollen

Für 20 Scheiben:
Teig
300 g Sultaninen
200 g Korinthen
2–3 El Rum
500 g Mehl (Type 405)
60 g frische Hefe
75 ml lauwarme Milch
100 g Zucker
1 Pk. Vanillezucker
1 El abgeriebene Zitronenschale (unbehandelt)
1 Tl Salz
250 g geschmolzene, kalte Butter
100 g feingewürfeltes Zitronat
100 g feingewürfeltes Orangeat
100 g gehackte Mandeln
Butter und Mehl für das Backblech
Glasur
50 g zerlassene Butter
1 El Vanillezucker
25 g Puderzucker

1. Am Vorabend Sultaninen und Korinthen heiß abspülen, abtropfen lassen und über Nacht in Rum marinieren.

2. Das Mehl in eine Schüssel geben, eine Vertiefung eindrücken. Zerbröckelte Hefe und Milch hineingeben, mit 1 Tl Zucker bestreuen und mit etwas Mehl überstäuben. Den Vorteig an einem warmen Ort zugedeckt 30 Minuten gehen lassen.

3. Restlichen Zucker, Vanillezucker, Zitronenschale, Salz, Butter, Zitronat, Orangeat, Mandeln, die Rumfrüchte und die restliche Milch mit dem Vorteig verkneten. Den Teig zu einer Kugel formen und an einem warmen Ort zugedeckt noch einmal 2 Stunden gehen lassen.

4. Den Teig gut durchkneten und auf der bemehlten Arbeitsfläche zu einem Rechteck von etwa 50x30 cm ausrollen. Den Teig der Länge nach auf die Hälfte zusammenklappen und das erste Drittel mit der Kuchenrolle etwas flachdrücken, so daß ein Stollen entsteht. Den Stollen auf ein gefettetes und leicht bemehltes Backblech legen. Zugedeckt weitere 30 Minuten gehen lassen.

5. Den Stollen im vorgeheizten Backofen auf der 1. Leiste von unten bei 180 Grad (Gas 2–3, Umluft 60 Min. bei 160 Grad) 70 Minuten backen. Noch warm mit der zerlassenen Butter bestreichen. Vanillezucker und Puderzucker mischen und darüber sieben.

Zubereitungszeit: 1 1/2 Stunden
(plus Einweich- und Ruhezeiten)
Pro Scheibe 4 g E, 13 g F, 48 g KH = 333 kcal (1392 kJ)

E&T: Den Stollen sollten Sie so rechtzeitig backen, daß er, gut verpackt, noch 3–4 Wochen Zeit hat zum Ruhen. Dann ist er erst richtig gut.

Leipziger Allerlei

Für 4 Portionen:
250 g grüne Bohnen
250 g feine, junge Erbsen
250 g junge Möhren
250 g Stangenspargel
Salz, Pfeffer (a. d. Mühle)
1/2 El Zucker
frisch geriebene Muskatnuß
1 kleiner Blumenkohl
60 g Butter
40 g Mehl
1 Eigelb
4 El Schlagsahne
500 g Kochmettwurst
1 Bund Petersilie

1. Bohnen, Erbsen, Möhren und Spargel putzen, waschen und jedes Gemüse für sich in einem Topf in wenig Wasser mit Salz, Pfeffer, Zucker und Muskat gar ziehen lassen. Den geputzten Blumenkohl im Ganzen in Salzwasser kochen. Die Gemüse aus dem Topf heben und warm stellen. Die einzelnen Gemüsebrühen durch ein Sieb zusammengießen.

2. 50 g Butter in einem Topf zerlassen, das Mehl zugeben und durchschwitzen lassen. Dann mit 1/2 l gemischter Gemüsebrühe ablöschen und mit dem Schneebesen glattrühren, so daß eine sämige Sauce entsteht. Das Eigelb in die Sahne quirlen. Die Sauce damit legieren und vom Herd nehmen.

3. Die Mettwurst pellen, in fingerdicke Scheiben schneiden, auf beiden Seiten in der restlichen Butter braun braten.

4. Den Blumenkohl in der Mitte einer ovalen großen Platte anrichten, das andere Gemüse ringsherum anordnen. Die heiße Sauce darüber gießen (oder gesondert reichen). Das Gemüse mit Petersiliensträußchen garnieren. Die gebratenen Mettwurstscheiben rund um das Gemüse anrichten.

Dazu passen Petersilienkartoffeln.

Zubereitungszeit: 1 1/4 Stunden
Pro Portion 31 g E, 59 g F, 26 g KH = 754 kcal (3157 kJ)

Lafers Tip: Die feine Variante

Kostspieliger, aber auch entschieden edler ist die Verwendung von Krebsen (statt der derben Mettwurst) für das Leipziger Allerlei. Dazu gehören dann unbedingt auch frische Morcheln. Die Krebse werden in einem Salzwassersud gegart und mit Dillästchen auf der Platte angeordnet. Die Morcheln werden sehr gut gewaschen, abgetropft kurz in wenig Butter gegart und anschließend vorsichtig unter die Erbsen gemischt.

8. NORDHESSEN

Ein Pfifferlingschmarrn aus dem Nordhessischen, wo in den Wäldern die deutschen Märchen beheimatet sind und wunderbare Pilze wachsen

8. NORDHESSEN

Ein Grundnahrungsmittel: verwandelt sich in feine Kartoffelravioli mit Blutwurst und Gemüse

Ein Grundbedürfnis: Süßes in Form von Gießener Zimtwaffeln mit Heidelbeerkompott

Kartoffelravioli mit Blutwurst und Gemüse

Zum Foto links oben

Für 4 Portionen:
Teig
500 g Kartoffeln (mehligkochend)
Salz, 1 Eigelb (Gew.-Kl. 3)
20 g Mehl, 30 g Speisestärke
frisch geriebene Muskatnuß
Mehl zum Ausrollen
1–2 Eigelb zum Bestreichen
50 g Butterschmalz
1–2 El gehackte Petersilie
Füllung
50 g Schalotten
100 g Möhren, 60 g Porree
30 g Butter, 150 ml Schlagsahne
Salz, Pfeffer (a. d. Mühle)
Blättchen von 5 Majoranzweigen
150 g Blutwurst, 1 Bund Schnittlauch

1. Die Kartoffeln in der Schale in Salzwasser kochen, gut abdämpfen, pellen und noch lauwarm durch die Kartoffelpresse in eine Schüssel drücken. Eigelb, Mehl und Speisestärke zugeben, mit Salz und Muskat würzen und gut verkneten.

2. Für die Füllung Schalotten pellen, Möhren schälen, Porree putzen. Alle Gemüsesorten sehr fein würfeln.

3. Die Butter im Topf erhitzen, das Gemüse darin glasig dünsten. Die Sahne zugießen und bei milder Hitze in etwa 5 Minuten sehr cremig einkochen lassen. Das Gemüse salzen, pfeffern, mit Majoran würzen und zum Abkühlen beiseite stellen.

4. Die Blutwurst pellen und in kleine Würfel schneiden. Den Schnittlauch in feine Ringe schneiden. Das Gemüse mit Blutwurst und Schnittlauch mischen.

5. Den Kartoffelteig zwischen 2 Stücken bemehlter Klarsichtfolie 4–5 mm dünn ausrollen. Die obere Klarsichtfolie abziehen. Mit einem Teigausstecher Kreise (8 cm ø) ausstechen.

6. Die Füllung mit einem Teelöffel auf eine Teighälfte setzen. Die restliche Teigfläche und die Ränder mit verquirltem Eigelb bestreichen. Die leere Teigfläche vorsichtig über die volle klappen und den Teigrand fest zusammendrücken.

7. Die Teigtaschen in sprudelnd kochendes Salzwasser geben und die Hitze sofort zurückschalten. Die Taschen in etwa 8–10 Minuten gar ziehen lassen. Die Taschen mit einer Schaumkelle aus dem Wasser heben und gut abtropfen lassen.

8. Das Butterschmalz in einer Pfanne erhitzen. Die Taschen darin von beiden Seiten goldgelb braten, salzen, pfeffern und mit der gehackten Petersilie bestreuen.

Die Kartoffelravioli mit Schmantsauerkraut servieren.

Zubereitungszeit: 1 1/2 Stunden
Pro Portion 13 g E, 46 g F, 33 g KH = 595 kcal (2493 kJ)

Schmantsauerkraut

Zum Foto links oben

Für 4 Portionen:
350 g frisches Sauerkraut
40 g Butter
20 g Zucker
50 g feine Zwiebelwürfel
1 Tl Kümmelkörner
400 ml Fleischbrühe
1 kleine Kartoffel
150 g Schmant (Sauerrahm, 24 % Fett)
Salz, Pfeffer (a. d. Mühle)

1. Sauerkraut kurz waschen, in einem Tuch ausdrücken und etwas zerpflücken.

2. Die Butter in einem Topf zerlassen, den Zucker darin schmelzen lassen und die Zwiebelwürfel darin glasieren. Das Sauerkraut und den Kümmel zugeben. Die Fleischbrühe zugießen. Das Sauerkraut zugedeckt bei milder Hitze 40 Minuten garen.

3. Nach 20 Minuten die Kartoffel schälen, zum Binden direkt in das Kraut reiben und gut unterrühren.

4. Vor dem Servieren den Schmant unterrühren und das Kraut mit Salz und Pfeffer würzen.

Das Schmantsauerkraut zu den Kartoffelravioli servieren.

Zubereitungszeit: 45 Minuten
Pro Portion 3 g E, 16 g F, 10 g KH = 201 kcal (841 kJ)

Was ist Schmant?

Schmant wird nur in Hessen mit einem T geschrieben. Sonst heißt er Schmand. Egal, wie der Name endet, der Inhalt ist immer ein Sauerrahm mit einem Fettanteil von etwa 24 Prozent. Wer keinen Schmand(t) bekommt, ersetzt ihn durch eine Mischung aus saurer Sahne und Schlagsahne.

Kartoffeln und Schmant sind eine typisch hessische Kombination, die nicht nur schmeckt, sondern auch ernährungsphysiologisch äußerst interessant ist: Die Eiweißkombination von beiden läßt sich vom Körper besonders gut verwerten.

Pfifferlingschmarrn

Zum Foto auf den Seiten 44/45

Für 1–2 Portionen:
100 g Pfifferlinge
1 kleine Zwiebel, 1 Knoblauchzehe
30 g durchwachsener Speck
1 Tl Butterschmalz
Salz, Pfeffer (a. d. Mühle)
1 Tl Thymianblättchen
1 El gehackte Petersilie
3 Eier (Gew.-Kl. 3)
1 El Schlagsahne

1. Die Pfifferlinge putzen. Zwiebel und Knoblauch pellen, danach fein würfeln. Den Speck in feine Würfel schneiden.

2. Das Butterschmalz in einer Pfanne erhitzen. Pfifferlinge, Zwiebel-, Knoblauch- und Speckwürfel darin anbraten, mit Salz, Pfeffer, Thymian und Petersilie würzen.

3. Die Eier mit der Sahne, etwas Salz und Pfeffer verrühren und über die Pfifferlinge gießen. Den Eierpfannkuchen zugedeckt bei milder Hitze etwa 3 Minuten garen, auf einen Teller gleiten lassen und umgedreht wieder in die Pfanne stürzen und noch einmal 3 Minuten braten.

Den Pfannkuchen in der Pfanne mit zwei Gabeln zerreißen und servieren.

Einen Salat zum Pfifferlingschmarrn reichen.

Zubereitungszeit: 30 Minuten
Pro Portion (bei 2 Portionen)
14 g E, 27 g F, 2 g KH = 304 kcal (1272 kJ)

Gießener Zimtwaffeln

Zum Foto Seite 46 unten

Für 4 Portionen:
Waffelteig
60 g Butter
75 g Zucker
Salz
1 Tl Bourbon-Vanillezucker
2 Eier (Gew.-Kl. 3)
100 g Schmant
50 ml Milch
1 El Öl
1 Tl Backpulver
125 g Mehl
1 Tl Zimtpulver
1 El Butterschmalz
Kompott
400 g TK-Heidelbeeren
60 g Zucker
Saft und Schale von je 1 Zitrone und Orange (unbehandelt)
100 ml Rotwein
1 Tl Zimtpulver
1 Tl Speisestärke
außerdem
1–2 El Puderzucker
250 ml Schlagsahne

1. Für den Waffelteig die zimmerwarme Butter mit Zucker, Salz und Vanillezucker schaumig rühren. Eier, Schmant, Milch und Öl zugeben und einen glatten Teig daraus rühren. Zuletzt Backpulver, Mehl und Zimt mit dem Teig verquirlen und glattrühren. Den Teig beiseite stellen.

2. Für das Kompott die Heidelbeeren in einem Sieb über einem Topf auftauen lassen und den Saft auffangen.

3. Den Zucker in einem flachen, breiten Topf hellbraun karamelisieren lassen und mit Zitronen- und Orangensaft ablöschen. Rotwein und den Heidelbeersaft zugießen und etwa 5 Minuten kochen lassen, bis der Zucker sich aufgelöst hat.

4. Die Sauce mit Zimt, Zitronen- und Orangenschale würzen. Die Speisestärke mit kaltem Wasser verrühren, die Sauce damit binden und 30 Sekunden gut durchkochen lassen. Die Heidelbeeren zugeben, einmal aufkochen lassen, vom Herd ziehen und abkühlen lassen.

5. Zum Waffelbacken das Butterschmalz zerlassen. Das Waffeleisen mit wenig Butterschmalz einpinseln. Portionsweise Teig hineingeben und Waffeln backen.

6. Die gebackenen Waffeln in Dreiecke schneiden und mit Puderzucker bestreuen. Die Waffeln mit dem Heidelbeerkompott und geschlagener Sahne servieren.

Zubereitungszeit: 1 Stunde
Pro Portion 11 g E, 50 g F, 77 g KH = 812 kcal (3402 kJ)

Bloatz (Hessischer Speckkuchen)

Für 8-10 Portionen:
300 g Krustenbrotmischung (Packung)
25 g Hefe
500 g Porree
500 g Salzkartoffeln (am Vortag gekocht)
250 g Schmant
100 g Schichtkäse
3 Eier
5 El Öl
1 gestrichener Tl Salz
frisch geriebene Muskatnuß
Pfeffer (a. d. Mühle)
400 g magerer Speck

1. Brotteig nach Packungsanweisung mit der Hefe zubereiten und 30 Minuten gehen lassen.

2. Den Porree putzen, waschen, fein würfeln. Die gekochten Kartoffeln durch die Presse drücken. Mit Porree, Schmant, Schichtkäse, Eiern und 3 El Öl gut verrühren. Mit Salz, Muskat und Pfeffer würzen.

3. Den Brotteig mit 1 El Öl verkneten, ausrollen und auf ein geöltes Backblech legen, gut andrücken. Den Teig mit einer Gabel einstechen, die Kartoffelmasse daraufstreichen. Den Speck fein würfeln und in einem Gittermuster auf die Kartoffelmasse legen.

4. Den Teig 15 Minuten gehen lassen und im vorgeheizten Backofen auf der 2. Leiste von unten bei 250 Grad (Gas 5–6, Umluft 225 Grad) 25 Minuten backen.

Den Kuchen heiß oder lauwarm servieren.

Zubereitungszeit: 1 1/2 Stunden
Pro Portion (bei 10 Portionen)
12 g E, 43 g F, 23 g KH = 547 kcal (2291 kJ)

Pellkartoffeln mit Dücke Fett

Für 4 Portionen:
120 g durchwachsener Speck
150 g Zwiebeln
15 g Butter (oder Margarine)
1 kg kleine Kartoffeln
250 g Schmant
150 g saure Sahne
Pfeffer (a. d. Mühle)
Salz

1. Speck und Zwiebeln würfeln. Den Speck in einer heißen Pfanne ausbraten. Zwiebelwürfel und Fett zugeben und die Zwiebeln goldgelb braten.

2. Kartoffeln waschen, in der Schale weich kochen. Schmant mit der sauren Sahne verrühren. Drei Viertel der Speckmischung in die Sahne rühren, mit Pfeffer und Salz würzen. Pellkartoffeln mit der Sauce anrichten, die restlichen Speckwürfel darüber streuen.

Zubereitungszeit: 30 Minuten
Pro Portion 11 g E, 45 g F, 44 g KH = 645 kcal (2702 kJ)

Heidelbeerküchlein mit Schmant

Für 16 Stücke:
Teig
500 g Kartoffeln (am Vortag geschält und gekocht)
50 g Mehl
25 g Speisestärke
1 Eigelb (Gew.-Kl. 3)
Salz
Butter oder Margarine für die Förmchen
Semmelbrösel
Belag
300 g Heidelbeeren
2 Eier (Gew.-Kl. 3)
2 El Zucker
250 g Schmant
Puderzucker zum Bestäuben

1. Kartoffeln durch die Presse drücken und mit Mehl, Speisestärke, Eigelb und 1 Prise Salz verkneten und kühl stellen.

2. Die Heidelbeeren verlesen, vorsichtig waschen und gut abtropfen lassen. Die Eier mit Zucker schaumig rühren. Den Schmant unterrühren.

3. 16 Tortelettförmchen (10 cm ø) ausfetten und mit Semmelbröseln ausstreuen. Den Teig in die Förmchen drücken und die Ränder hochziehen, mit Semmelbröseln bestreuen.

4. Die Beeren auf dem Teig verteilen, die Creme darüberstreichen. Die Törtchen auf dem Boden des vorgeheizten Backofens bei 200 Grad (Gas 3, Umluft 180 Grad) in 20-25 Minuten goldgelb backen. Die Küchlein lauwarm mit Puderzucker bestreuen und servieren.

Zubereitungszeit: 1 Stunde
Pro Stück 3 g E, 6 g F, 16 g KH = 135 kcal (564 kJ)

E&T: Wer keine 16 Tortelettförmchen hat, kann Teig und Belag in einer Springform (26 cm ø) oder auf dem Blech backen.

Grüne Sauce mit Kartoffelpfannkuchen

Für 4 Portionen:
Grüne Sauce
4 Eier
1 Tl Senf
2 El Essig
1/2 Bund Zitronenmelisse
1 Bund gemischte frische Kräuter: Sauerampfer, Schnittlauch, Kerbel, Borretsch, Petersilie, Dill und Pimpinelle
250 g Schmant
150 g saure Sahne
Salz, Pfeffer (a. d. Mühle)
Zucker
Kartoffelpfannkuchen
350 g Kartoffeln (mehligkochend)
Salz
75 ml heiße Milch
3–4 El Mehl
2 Eier (Gew.-Kl. 3)
1 El Schmant
Pfeffer (a. d. Mühle)
Öl zum Braten

1. Die Eier 10 Minuten kochen, abschrecken und pellen. Das Eiweiß würfeln. Das Eigelb durch ein feines Sieb streichen und mit Senf und Essig verrühren.

2. Die Kräuter verlesen und fein hacken. Die Kräuter mit Senf, Eigelb, Eiweißwürfeln, Schmant und saurer Sahne verrühren. Die Sauce mit Salz, Pfeffer, 1 Prise Zucker abschmecken und 1 Stunde kalt stellen.

3. 250 g Kartoffeln schälen, in grobe Stücke schneiden und in wenig Salzwasser garen. Die Kartoffeln abgießen, gut abdämpfen und durch die Kartoffelpresse drücken. Die Milch unterrühren. Das Püree kalt werden lassen.

4. 1/2 Tl Salz, Mehl, Eier und Schmant zum Püree geben, verquirlen und 30 Minuten ruhenlassen.

5. Die restlichen Kartoffeln schälen, grob reiben, unter den Teig heben und mit Pfeffer abschmecken.

6. Eine Pfanne mit wenig Öl auspinseln und aus dem Teig 8 kleine Pfannkuchen backen (pro Seite 3–4 Minuten). Die Pfannkuchen kurz auf Küchenpapier abtropfen lassen und dann mit Grüner Sauce servieren.

Zubereitungszeit: 1 1/2 Stunden
Pro Portion 8 g E, 47 g F, 26 g KH = 618 kcal (2589 kJ)

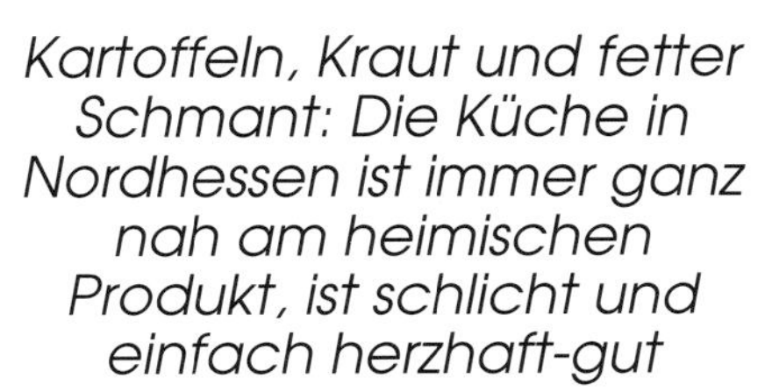

Kartoffeln, Kraut und fetter Schmant: Die Küche in Nordhessen ist immer ganz nah am heimischen Produkt, ist schlicht und einfach herzhaft-gut

9. NORDTHÜRINGEN

Ein pochiertes Kalbsfilet mit Kerbelsauce und gebratenen Thüringer Klößen: Sanfter kann der Frühling kulinarisch nicht sein

9. NORDTHÜRINGEN

Pochiertes Kalbsfilet mit Kerbelsauce

Zum Foto auf den Seiten 50/51

Für 4 Portionen:
800 g Kalbsfilet (aus der Mitte)
Salz, weißer Pfeffer (a. d. Mühle)
1 1/4 l Fleischbrühe (möglichst selbst zubereitet)
1 Bund Frühlingszwiebeln
200 g Staudensellerie
200 g Möhren, 2 Thymianzweige
2 kleine Rosmarinzweige
1 Lorbeerblatt, 10 weiße Pfefferkörner
100 ml Weißwein (trocken)
200 ml Schlagsahne
2 El Zitronensaft, 100 g Crème fraîche
40 g Butter, 1/2 Bund Kerbel

1. Um die Enden und die Mitte des Kalbsfilets eine Schlaufe aus Küchengarn binden. Das Fleisch rundum mit Salz und Pfeffer einreiben. Einen Holzlöffelstiel durch die Schlaufen stecken, so daß man das Fleisch in den Topf hängen kann, wenn der Stiel auf dem Topfrand liegt.

2. Die Brühe in einem hohen Topf, der knapp breiter als das Filetstück ist, heiß werden lassen (85 Grad).

3. Inzwischen die Frühlingszwiebeln putzen, das dunkle Grün abschneiden, die Zwiebeln ganz lassen. Den Sellerie putzen und schräg in Rauten schneiden, das Grün beiseite legen. Die Möhren schälen und in Scheiben schneiden.

4. Das Gemüse mit Thymian, Rosmarin, Lorbeer und Pfefferkörnern in die Brühe geben. Das Filet am Löffelstiel so in die Brühe hängen, daß das Fleisch gut bedeckt ist. Fleisch und Gemüse 15 Minuten unter dem Siedepunkt gar ziehen lassen.

5. Inzwischen aus dem Topf 250 ml klare Brühe ohne Gemüse und Kräuter abschöpfen und mit Weißwein und Sahne offen bei starker Hitze auf 200 ml einkochen. Den Fond mit Zitronensaft würzen, die Crème fraîche unterrühren und mit Salz und Pfeffer abschmecken. Butter mit dem Schneidstab untermixen. Die Hälfte vom Kerbel hacken und direkt vor dem Servieren unter die Sauce ziehen.

6. Das Fleisch aus der Brühe nehmen, das Garn entfernen. Das Fleisch in Scheiben schneiden. Gemüse und Kräuter mit der Schaumkelle aus der Brühe nehmen und mit dem Fleisch anrichten. Das Fleisch mit dem restlichen Kerbel und Selleriegrün garnieren und mit der Kerbelsauce servieren.

Dazu passen gebratene Thüringer Kloßscheiben mit geschmorten Zwiebeln.

Zubereitungszeit: 45 Minuten
Pro Portion 43 g E, 38 g F, 3 g KH = 529 kcal (2216 kJ)

Total thüringisch: saftiger Buttercremekuchen mit Mandeln un

Gebratene Thüringer Klöße

Zum Foto auf den Seiten 50/51

Für 4 Portionen:
8 Thüringer Klöße (vom Vortag)
2 Zwiebeln, 2 Knoblauchzehen
50 g Butterschmalz

1. Die Klöße (Rezept siehe Seite 54) in dicke Scheiben schneiden. Zwiebeln und Knoblauch pellen und fein würfeln.

2. Das Butterschmalz in einer großen Pfanne erhitzen. Die Kloßscheiben darin von einer Seite goldbraun braten, wenden und beim Weiterbraten Zwiebel- und Knoblauchwürfel mitbraten.

Die gebratenen Thüringer Klöße zum pochierten Kalbsfilet servieren.

Zubereitungszeit: 20 Minuten
Pro Portion 5 g E, 13 g F, 67 g KH = 408 kcal (1706 kJ)

Tip von Rainer Dönnecke

Für den Fleischermeister aus Weimar ist, wie für fast alle Thüringer, der aufgebratene Kloß fast schöner als der frisch gekochte.

Und noch eine Thüringer Kloß-Weisheit: Kloß geht auch ohne Fleisch, aber nie ohne Sauce!

Buttercremekuchen mit Mandeln und Aprikosen

Zum Foto oben

Für 36 Stücke:
Teig
2 Orangen (unbehandelt)
2 Zitronen (unbehandelt)
6 Stückchen Würfelzucker
250 g Butter, 200 g Zucker
Salz, 2 Eier (Gew.-Kl. 3)
250 g Mehl, 1/2 Pk. Backpulver
Garnitur und Buttercreme
100 g getrocknete Aprikosen
2 El Zitronensaft
100 g Mandelblättchen
2 Eigelb, 50 g Zucker
Mark aus 1 Vanilleschote
20 g Speisestärke, Salz
250 ml Milch, 100 g Butter
1 El abgeriebene Orangenschale (unbehandelt), 1 El Honig

1. Orangen und Zitronen heiß waschen, mit dem Würfelzucker abreiben. 100 ml Orangensaft auspressen, durch ein Sieb gießen.

2. Die Butter bei milder Hitze schmelzen. Würfelzucker, 100 g Zucker und 1 Prise Salz unter Rühren darin auflösen. Den Orangensaft lauwarm werden lassen und löffelweise kräftig unterrühren, damit das Fett den Saft aufnehmen kann.

…mit Aprikosen

3. Die Eier mit dem restlichen Zucker über einem heißen Wasserbad mit den Quirlen des Handrührers dick-schaumig aufschlagen. Vom Wasserbad nehmen und weiterschlagen, dabei nach und nach die Orangenbutter zugeben. Mehl und Backpulver unterrühren.

4. Ein Backblech mit Backpapier auslegen, den Teig daraufgießen und mit einer Palette gleichmäßig verstreichen. Den Teig im vorgeheizten Backofen auf der 2. Leiste von unten bei 180 Grad (Gas 2–3, Umluft 160 Grad) 15–20 Minuten backen. Den Boden leicht abkühlen lassen, stürzen und das Papier abziehen. Boden auskühlen lassen.

5. Aprikosen mit Zitronensaft in Wasser einweichen. Die Mandelblättchen in einer Pfanne ohne Fett hellbraun rösten und abkühlen lassen.

6. Für die Buttercreme Eigelb, Zucker, Vanillemark, Speisestärke und 1 Prise Salz mit der Milch verquirlen. Bei milder bis mittlerer Hitze unter ständigem Rühren fast aufkochen, bis die Masse dick abbindet. Den Topf vom Herd nehmen, die Masse durch ein Sieb streichen und abkühlen lassen.

7. Die Butter schaumig rühren und portionsweise unter den Pudding rühren. Mit Orangenschale und Honig würzen und auf den Boden streichen. Die Aprikosen abtropfen lassen und würfeln, mit den Mandelblättchen auf die Creme streuen.

Zubereitungszeit: 1 Stunde (plus Zeiten zum Abkühlen)
Pro Portion 2 g E, 11 g F, 16 g KH = 170 kcal (712 kJ)

KLASSIKER

Dorndorfer Geflügelkraftbrühe

Für 6 Portionen:
2 kg mageres Rindfleisch
350 g Suppengrün (geputzt und grob zerteilt)
1 Kräutersträußchen (Bouquet garni aus: Petersilie, Lorbeer, Thymianzweig)
1 El schwarze Pfefferkörner
Salz
80 g Semmelbrösel
1 Ei
40 g weiche Butter
Pfeffer (a. d. Mühle)
frisch geriebene Muskatnuß
1 Zwiebel
6 kleine Hähnchenkeulen (à 125 g)
1 Liebstöckelzweig
1 Lorbeerblatt
je 75 g Sellerie, Möhre und Porree (geputzt und in feine Streifen geschnitten)

1. Das Rindfleisch mit 3 l kaltem Wasser aufkochen und gut abschäumen. Suppengrün, Kräutersträußchen, Pfefferkörner und wenig Salz zugeben. Die Brühe bei milder Hitze 4 Stunden leise kochen, durch ein Sieb gießen, kalt werden lassen und entfetten. (Die Rinderbrühe kann einen Tag vorher zubereitet werden.)

2. Für die Klößchen Semmelbrösel mit Ei, Butter und 80 ml von der Rinderbrühe verkneten, mit Salz, Pfeffer und Muskat würzen. Kloßteig 30 Minuten kalt stellen. (Der Teig kann auch gut am Tag vorher gemacht werden.)

3. Die Zwiebel ungepellt halbieren, die Schnittflächen auf der Herdplatte bräunen.

4. Die Hähnchenkeulen mit der kalten Rinderbrühe aufsetzen (etwas davon zum Klößekochen abnehmen). Zwiebel, Liebstöckel und Lorbeer zugeben. Die Brühe bei milder Hitze 30 Minuten leise kochen, zwischendurch abschäumen.

5. Inzwischen aus dem Kloßteig 24 kleine Klöße abstechen (mit nassen Teelöffeln) und in der beiseite gestellten Rinderbrühe bei milder Hitze in 10–15 Minuten gar ziehen lassen. Klößchen warm halten.

6. Während die Klöße garen, das in Streifen geschnittene Gemüse in etwas Salzwasser in 12 Minuten bißfest garen.

7. Die Hähnchenkeulen aus der Brühe nehmen und etwas abkühlen lassen. Dann im Gelenk durchtrennen, die Haut abziehen und die Knochen sauber putzen. Die Hähnchenkeulen warm halten.

8. Die Geflügelkraftbrühe durch ein Tuch gießen, erhitzen, abschmecken und mit Klößen, Gemüsestreifen und Hähnchenkeulen in Suppentellern anrichten.

Zubereitungszeit: 1 1/2 Stunden (plus Zeit für die Brühe)
Pro Portion 24 g E, 12 g F, 11 g KH = 250 kcal (1047 kJ)

Thüringer Büffet mit Dorndorfer Geflügelkraftbrühe, Thüringer Klößen, Rostbrätel, mit vielen frischen und geräucherten Thüringer Würsten

Thüringer Klöße

Für 6–8 Portionen:
3 kg rohe Kartoffeln (möglichst große)
Salz
4 Brötchen
Butter zum Rösten

1. 2 kg Kartoffeln schälen, waschen, gut abtropfen lassen und auf der Haushaltsreibe fein reiben.

Wichtig: Damit der Kartoffelteig schön weiß bleibt, die Kartoffeln direkt ins Wasser reiben.

2. Die geriebenen Kartoffeln in einem Stoffsäckchen (oder im Küchenhandtuch) so trocken wie möglich auspressen.

Wichtig: Beim Auspressen den Kartoffelsaft auffangen, weil die sich im Wasser absetzende Kartoffelstärke für den Teig mitverwendet wird.

3. Das restliche Kilo Kartoffeln schälen, waschen, würfeln, gut mit Wasser bedecken und garen. Die gekochten Kartoffeln mit dem Kochwasser durch ein Sieb streichen. Den Kartoffelbrei noch einmal stark aufkochen lassen.

4. Die ausgepreßten Kartoffeln zwischen den Fingern auflockern und zerreiben, dann leicht salzen. Die abgesetzte Kartoffelstärke zugeben, den heißen Kartoffelbrei daraufgießen (Vorsicht: Der Kartoffelbrei kann sehr spritzen!). Die rohen und die gekochten Kartoffeln mit einem Holzlöffel gut miteinander mischen.

Wichtig: Die rohen Kartoffeln müssen dabei von den heißen Kartoffeln gewärmt (gebrüht) werden. Eventuell noch etwas heißes Wasser zugeben. Wenn der Kloßteig richtig gelungen ist, sieht er ein bißchen grün aus.

5. Die Brötchen würfeln und in der Butter goldbraun rösten. Aus dem Kloßteig Klöße formen und die Brötchenwürfel hineinfüllen.

6. In einem weiten Topf reichlich Salzwasser erhitzen. Die Klöße darin in 20 Minuten gar ziehen, aber nicht kochen lassen. Dann mit einer Schaumkelle herausheben und gut abtropfen lassen.

7. Damit die Klöße auch bei Tisch noch abtropfen können und nicht zusammenkleben, eine Untertasse in eine Schüssel legen (mit der Unterseite nach oben) und die Klöße darauf legen.

Zu den Thüringer Klößen Braten und Sauce oder nur Sauce servieren.

Zubereitungszeit: 2 Stunden
Pro Portion (bei 8 Portionen)
8 g E, 5 g F, 55 g KH = 305 kcal (1269 kJ)

E&T: Jeder Thüringer Haushalt hatte früher für seine Klöße einen ganz speziellen festen Hanf- oder Leinensack und eine Kartoffelpresse, in der die Kartoffeln so trocken wie möglich ausgepreßt wurden.

Rehbraten aus dem Kirschbachtal

Für 6 Portionen:
1 Rehkeule (1,2–1,5 kg, ohne Knochen und gehäutet)
schwarzer Pfeffer (a. d. Mühle)
1 El Zitronenschale in feinen Streifen (unbehandelt)
1 El Wacholderbeeren (etwas zerdrückt)
1 l trockener Rotwein
Salz
50 g fetter Speck (in dünne Streifen geschnitten)
80 ml Öl
150 g kleingewürfeltes Suppengemüse (Sellerie, Möhre, Porree)
1/4 l Wildfond (a. d. Glas)
50 g Mehlbutter (25 g Mehl mit 25 g Butter verknetet)

1. Rehkeule pfeffern, in ein irdenes oder in ein Porzellangefäß geben. Mit Zitronenschale und Wacholderbeeren bestreuen und mit Rotwein begießen. Keule abgedeckt kühl stellen, 1–3 Tage marinieren und dabei häufiger wenden.

2. Die Keule aus der Marinade nehmen, trockentupfen und salzen. Die Keule mit den Speckstreifen spicken und zusammenrollen. Die Rolle mit Küchengarn zusammenbinden.

3. Öl in einem entsprechend großen Bräter erhitzen, die Fleischrolle rundherum darin gut anbraten, aus dem Bräter nehmen und beiseite legen.

4. Das Fett, bis auf einen kleinen Rest, aus dem Bräter abgießen. Gemüsewürfel im Bräter kräftig anrösten, mit 1/4 l Marinade ablöschen. Flüssigkeit vollständig verkochen lassen. Fleischrolle aufs Gemüse setzen. 1/4 l Marinade und den Wildfond zugießen. Das Fleisch im geschlossenen Bräter im vorgeheizten Backofen auf der 2. Leiste von unten bei 200 Grad (Gas 3, Umluft 175 Grad) 1 1/2 Stunden garen. Während der Garzeit die restliche Marinade zugießen. Dabei immer wieder die Röststoffe an der Bräterwand lösen.

5. Das Fleisch aus dem Bräter nehmen, das Küchengarn entfernen. Das Fleisch zugedeckt im ausgeschalteten Backofen warm halten.

6. Die Röststoffe an der Bräterwand lösen. Den Schmorfond etwas einkochen lassen, mit der Mehlbutter binden und durch ein Sieb gießen. Die Sauce erhitzen.

7. Das Fleisch in dünne Scheiben aufschneiden. Angesammelten Fleischsaft in die Sauce rühren. Fleisch anrichten, mit etwas Sauce begießen. Die restliche Sauce getrennt reichen.

Thüringer Klöße, Edelebereschenkompott und Waldpilze dazu servieren.

Zubereitungszeit: 2 1/2 Stunden (plus Zeit zum Marinieren)
Pro Portion 44 g E, 17 g F, 8 g KH = 391 kcal (1636 kJ)

Gefülltes Welsfilet mit jungem Gemüse

Für 6 Portionen:
75 g feine Selleriewürfel
75 g feine Möhrenwürfel
4 gut gekühlte Welsfilets (à 175–200 g, vom Fischhändler vorbereitet)
20 ml Schlagsahne
1 Ei
Salz
weißer Pfeffer (a. d. Mühle)
1 El gehackte Petersilie
1 El gehackter Estragon
1 El feine Schnittlauchröllchen
etwas Öl für die Alufolie
300 g Blumenkohlröschen
6 kleine Möhren (150 g)
12 kleine Teltower Rübchen (250 g, oder 6 Navetten)
5 El Weißweinessig
100 ml Olivenöl
1 El rote Zwiebelwürfel
Salatblätter für die Garnitur (z. B. Frisée, Batavia, Rauke)

1. Gemüsewürfel in kochendem Wasser 1/2 Minute blanchieren, in kaltem Wasser abschrecken, gut abtropfen lassen.

2. 2 gut gekühlte Welsfilets in kleine Würfel schneiden, in eine Schüssel geben. Sahne und Ei zugeben, mit dem Schneidstab des Handrührers fein pürieren, mit Salz und Pfeffer kräftig würzen. 2/3 Gemüsewürfel und 1/3 gehackte Kräuter untermischen. Welsfarce 30 Minuten kalt stellen.

3. Die beiden anderen Welsfilets mit einem schweren Küchenmesser plattklopfen und mit Welsfarce bestreichen. 2 passend große Stücke Alufolie mit Olivenöl einpinseln. Die Filets darin einrollen. Die Enden gut verschließen. Welsrollen in heißes, aber nicht mehr kochendes Wasser geben. 20 Minuten darin garen, im Wasser kalt werden lassen. Über Nacht kalt stellen.

4. Inzwischen Blumenkohlröschen, Möhren und Teltower Rübchen putzen und nacheinander in je 3 Minuten in kochendem Salzwasser bißfest garen, herausnehmen, gut abtropfen lassen.

5. Aus Essig, 2 El Wasser, Salz, Pfeffer und Öl eine Vinaigrette rühren. Restliche Gemüsewürfel, gehackte Kräuter und Zwiebelwürfel unterrühren.

6. Welsrollen auswickeln. Jede Rolle schräg in 9 Scheiben schneiden. Je 3 Scheiben mit Gemüse und ein paar Salatblättern anrichten. Die Vinaigrette über Gemüse und Salat gießen.

Zubereitungszeit: 1 1/2 Stunden (plus Kühlzeiten)
Pro Portion 21 g E, 34 g F, 4 g KH = 425 kcal (1779 kJ)

Rostbrätel

Für 4 Portionen:
4 dicke Schweineschnitzel (à 200 g)
Salz
Pfeffer (a. d. Mühle)
helles Bier zum Bestreichen
Schmalz zum Braten

1. Die Schweineschnitzel mit Salz und Pfeffer kräftig würzen und mit Bier bestreichen.

2. Das Schmalz in einer großen Pfanne erhitzen, die Schnitzel darin unter häufigem Wenden von beiden Seiten knusprig braun braten. Dabei öfter mit Bier bestreichen. Die Schnitzel aus der Pfanne nehmen und auf Küchenpapier abtropfen lassen.

Die Schnitzel mit scharfem Senf und Landbrot servieren.

Zubereitungszeit: 30 Minuten
Pro Portion 42 g E, 17 g F, 0 g KH = 332 kcal (1389 kJ)

Rostbrätel = Wendeschnitzel

Daß die Thüringer ihre Rostbrätel nicht in der Pfanne, sondern auf dem Rost gebraten haben (wie so vieles andere Fleischerne auch), sagt schon der Name. Wichtig ist nur, daß das Brätel beim Braten oder Grillen so oft wie möglich gewendet und dabei mit Bier bestrichen wird. Es muß, wenn es fertig ist, recht naß sein und, falls es gegrillt wurde, an den Rändern etwas geschwärzt von der Holzkohle.

Ein Tip von Meister Dönnecke: Ganz besonders zart und aromatisch wird das Röstbrätel, wenn Sie es über Nacht in Bier einlegen.

Der Herr der Würste

„Bei mir kommt nichts anderes in die Rostbratwurst als Schweinefleisch, Gewürze und ein bißchen Ei zum Binden. Das war schon immer so. Und das wird auch so bleiben. Das habe ich mir geschworen. Punktum!" Rainer Dönnecke ist Metzgermeister in Weimar und zwar mit Leidenschaft und äußerstem Qualitätsbewußtsein.

„Jeder schlaffe Zipfel heißt ungestraft Thüringer. Artenschutz ist erst mal nicht erlaubt", klagt der Meister, „es gibt ja auch keine einheitliche Rezeptur." Zwar findet sich in allen Thüringern Schweinefleisch mit/ohne Kalb- und Rindfleisch. Doch ob es grob gewolft oder fein gekuttert werden soll, darüber wird gestritten. Noch mehr Zwietracht streut die Würzung. Während im Süden Majoran zum Einsatz kommt, hält man es im klassischen Bratwurstwinkel zwischen Weimar, Saalfeld und Pößneck mit der reinen Wurstlehre: In die Farce, ins Brät, darf nur Kümmel.

1613 taucht die Bratwurst in der Ordnung für das Thüringer Fleischerhandwerk zum ersten Mal auf, viel später setzt sich das Freiluft-Wurstbraten auf Holzkohle durch. Die Biedermeier pflegten Geselligkeit in frischer Luft, bei Landpartien und Sängertreffen bot sich die mobile Wurst geradezu an. Wie auch immer – seit dieser Zeit liegt „Thüringer Weihrauch" in der Luft.

Die echte Thüringer Bratwurst – das ist feines, sandfarbenes Brät mit einem ganz leichten Kümmelton, das von einem zarten Naturdarm gehalten wird, der beim Braten in der Pfanne knusprig rosenholzrot und wie lackiert glänzt.

Die Wurst schmeckt so, wie der Thüringer es liebt: rund, sanft, unaufgeregt, einschmeichelnd – und unbedingt nach mehr.

Die echte Thüringer ist ungebrüht. Wenn aber die Küche der Gaststätte oder des Standes kleiner ist als 15 Quadratmeter, dann darf die Wurst nicht roh gelagert werden, sondern muß vorher bei 72 Grad gebrüht worden sein. So schreiben es die Hygienebestimmungen vor.

So wichtig wie der Inhalt der Würste ist auch die Glut, über der sie geröstet wird. Es sollte schon Holzkohle aus dem Meiler im Thüringer Wald sein, die weiß durchgeglüht ist und einen leichten Aschefilm hat. Und der Grill, auf dem die Würste liegen, muß präzise 9 bis 12 cm hoch über dem Glutbett hängen, sonst wird die ganze Grillerei nichts. Letztendlich ist auch auf den Senf zu achten, der der Länge nach auf die Wurst gespritzt wird. „Ohne den milden Thüringer Senf aus Erfurt schmeckt die ganze Schose nicht." Meister Dönnecke wird es wissen.

Rainer Dönnecke aus Weimar ist ein Qualitätsmetzger von hohen Graden. Seine Würste kann man bestellen: Meyerstr. 15 b in 99423 Weimar, Tel. 03643/655 95

10. RHEINLAND

Die Kartoffelcrêpes-Torte mit Kalbsleberschaum wird mit einem Chicoréesalat serviert, dessen Raffinesse in einer fein-säuerlichen Apfel-Vinaigrette liegt

10. RHEINLAND

Kartoffelcrêpes-Torte mit Kalbsleberschaum

Zum Foto auf den Seiten 56/57

Für 6–8 Portionen:
Crêpes
500 g Kartoffeln (mehligkochend)
Salz
60 g Schalotten
10 g Butter
3 Eier (Gew.-Kl. 3, getrennt)
50 g Crème fraîche
frisch geriebene Muskatnuß
3 El gehackte, glatte Petersilie
80–100 ml Öl zum Backen
Füllung
40 g Schalotten
20 g Butter
40 g Rosinen
40 ml roter Portwein
1 El gehackte Thymianblätter
300 g feine, zimmerwarme Kalbsleberwurst
außerdem
Kerbel zum Garnieren

1. Die Kartoffeln in Salzwasser garen, abgießen, abdämpfen, pellen und warm durch eine Kartoffelpresse drücken.

2. Die Schalotten pellen, fein würfeln, in der Butter glasig dünsten und zu den Kartoffeln geben. Das Eiweiß mit 1 Prise Salz steif schlagen. Das Eigelb mit Crème fraîche verquirlen, die Kartoffeln damit glattrühren. Den Teig mit Salz und Muskat würzen, die Petersilie und den Eischnee unterziehen. Den Teig in einen Spritzbeutel mit mittlerer Lochtülle füllen.

3. Das Öl portionsweise in einer Pfanne nicht zu stark erhitzen. Nacheinander 4 Crêpes backen: Je ein Viertel vom Kartoffelteig von der Mitte nach außen spiralförmig (15 cm Ø) in das Öl spritzen. Die Crêpes nacheinander im vorgeheizten Backofen auf der 2. Leiste von oben bei 200 Grad (Gas 3, Umluft 180 Grad) 4–5 Minuten backen. Die fertiggebackenen Crêpes warm stellen.

4. Für den Kalbsleberschaum die Schalotten pellen, fein würfeln und in der Butter glasig dünsten. Die Rosinen zugeben. Den Portwein zugießen und einkochen lassen. Die Sauce mit Thymian würzen. Die Leberwurst zerdrücken und mit der Rosinensauce verrühren.

5. Den Leberwurstschaum auf 3 Crêpes streichen. Die bestrichenen Crêpes aufeinandersetzen. Den 4. Crêpe als Deckel aufsetzen und etwas andrücken.

6. Die Torte auf eine Servierplatte setzen, in Stücke schneiden und mit Kerbelblättchen bestreuen.

Dazu paßt ein frischer Chicoreesalat mit Apfel-Vinaigrette.

Zubereitungszeit: 1 1/2 Stunden
Pro Portion (bei 8 Portionen)
11 g E, 26 g F, 13 g KH = 334 kcal (1400 kJ)

Chicoréesalat mit Apfel-Vinaigrette

Zum Foto auf den Seiten 56/57

Für 6–8 Portionen:
1 rosa Grapefruit, 8 Kirschtomaten
1 El geröstete Pinienkerne
200 ml Apfelsaft
100 ml Geflügelfond (a. d. Glas)
4 El Apfelessig, 7 El Traubenkernöl
Salz, 1/2 Tl Honig
2 Äpfel (300 g), 2 Chicoréekolben
Kerbel zum Garnieren

1. Die Grapefruit dick schälen, die weiße Haut entfernen. Die Filets zwischen den Trennhäuten herausschneiden. Die Tomaten halbieren und mit den Grapefruitfilets und den Pinienkernen mischen.

2. Den Apfelsaft mit dem Geflügelfond bei starker Hitze auf 50 ml einkochen. Den Essig und das Öl untermischen. Die Vinaigrette mit Salz und Honig würzen.

3. Die Äpfel schälen und würfeln, die Kerngehäuse dabei entfernen. Die Apfelwürfel in der Sauce wenden.

4. Den Chicorée putzen. Die Blätter vom Strunk lösen und mit dem Tomatensalat anrichten. Die Apfel-Vinaigrette darüber verteilen.

Den Salat zur Kartoffelcrêpes-Torte mit Kalbsleberschaum servieren.

Zubereitungszeit: 30 Minuten
Pro Portion (bei 8 Portionen)
1 g E, 10 g F, 11 g KH = 141 kcal (591 kJ)

Sauerbratensuppe mit Kartoffelklößchen

Zum Foto rechts

Für 4–6 Portionen:
Marinade und Schmorfond
1 Zwiebel
1/2 Bund Suppengrün
250 ml Rinderfond (a. d. Glas)
100 ml Rotweinessig
3 Gewürznelken
2 Lorbeerblätter
5 Wacholderbeeren
10 weiße Pfefferkörner
500 g Huftsteak (im Stück)
25 g Butterschmalz
Salz, Pfeffer (a. d. Mühle)
Klößchen
300 g Kartoffeln (mehligkochend)
Salz, 1 Eigelb (Gew.-Kl. 3)
2–2 1/2 El Kartoffelstärke
Pfeffer (a. d. Mühle)
frisch geriebene Muskatnuß
Suppe
250 ml Rotwein
2 Scheiben Pumpernickel (100 g)
40 g Rosinen
2 El geröstete Mandelblättchen
1 El Rübensirup
50 g Schmand (oder saure Sahne)

Sauerbratensuppe mit Kartoffe

1. Am Vortag Zwiebel und Suppengrün putzen und würfeln. Den Fond aufkochen. Den Essig zugießen. Zwiebel, Suppengrün, Nelken, Lorbeer, Wacholder und Pfefferkörner zugeben und einmal aufkochen. Die Marinade abkühlen lassen.

2. Das Fleisch in 3 Scheiben schneiden, in eine passend große Schüssel legen, mit der Marinade begießen und darin zugedeckt 24 Stunden marinieren, dabei einmal wenden.

3. Das Fleisch aus der Schüssel nehmen und mit Küchenpapier trocken tupfen. Gemüse und Gewürze im Sieb abtropfen lassen, die Marinade auffangen.

lößchen: Lafers feine Abwandlung des geschmorten rheinischen Sauerbratens

4. Das Butterschmalz im Topf erhitzen, die Fleischscheiben von beiden Seiten darin anbraten, mit Salz und Pfeffer würzen. Das Suppengrün und die Gewürze zugeben und ebenfalls anbraten. Die Marinade zugießen. Das Fleisch zugedeckt 1 Stunde schmoren.

5. Inzwischen für die Klößchen 100 g Kartoffeln schälen, würfeln und in Salzwasser 20 Minuten kochen. Nach 15 Minuten die restlichen Kartoffeln schälen, fein reiben und in einem Mulltuch kräftig ausdrücken. Die gekochten Kartoffeln abgießen, sehr gut abdämpfen lassen und durch eine Kartoffelpresse drücken. Die rohen und die gekochten Kartoffeln in einer Schüssel mischen, mit Eigelb und 1 El Stärke verrühren. Den Teig mit Salz, Pfeffer und Muskat würzen und zu einer Rolle formen, dabei eventuell noch etwas Stärke unterkneten. Den Teig locker zudecken und beiseite stellen.

6. Fleisch und Gemüse in einem Sieb über einem Topf abtropfen lassen. Den Rotwein in den Schmorfond gießen. 1 Scheibe Pumpernickel fein zerbröseln und im Suppenfond 10 Minuten offen kochen.

7. Die Kartoffelrolle in 15–18 Scheiben schneiden. Die Hände mit der restlichen Stärke einpudern und kleine Klöße aus den Teigscheiben rollen.

8. In einem breiten Topf Salzwasser aufkochen, dann nur noch sieden lassen. Die Klöße darin in 5–7 Minuten gar ziehen lassen, mit der Schaumkelle herausheben und abtropfen lassen.

9. Den restlichen Pumpernickel fein würfeln und in einer Pfanne ohne Fett rösten. Das Fleisch aus dem Sieb nehmen und würfeln.

10. Pumpernickel, Fleisch, Rosinen und Mandelblättchen in die Suppe geben, mit Sirup, Salz und Pfeffer würzen. Die Suppe einmal kräftig aufkochen lassen. Vor dem Servieren den Schmand hineinrühren und die Kartoffelklößchen hineingeben.

Zubereitungszeit: 3 Stunden (plus Marinierzeiten)
Pro Portion (bei 6 Portionen)
21 g E, 13 g F, 22 g KH = 308 kcal (1292 kJ)

Himmel und Erde

Für 4 Portionen:
1 kg Kartoffeln
Salz
1 kg säuerliche Äpfel (z. B. Boskop)
10 El Zitronensaft
1 El Zucker
500 g Zwiebeln
30 g Butterschmalz
4 dicke Blutwurstscheiben (à 50 g)
100 ml heiße Milch
70 g Butter
Pfeffer (a. d. Mühle)
frisch geriebene Muskatnuß

1. Die Kartoffeln schälen, waschen und in Salzwasser garen.

2. Inzwischen die Äpfel schälen, vierteln, entkernen, grob würfeln und mit Zitronensaft und Zucker zugedeckt in 7 Minuten knapp weich kochen.

3. Die Zwiebeln pellen, in Ringe schneiden, im Butterschmalz goldgelb rösten, aus der Pfanne nehmen und beiseite stellen. Die Blutwurstscheiben im Zwiebelfett scharf anbraten.

4. Die Kartoffeln abgießen, gut abdämpfen und die heiße Milch zugießen. Aus den Kartoffeln mit dem Kartoffelstampfer einen lockeren Brei stampfen. Die Butter unterrrühren. Das Kartoffelpüree mit Salz, Pfeffer und Muskat würzen.

5. Das Apfelmus unter das Kartoffelpüree rühren und auf vorgewärmte Teller verteilen. Die Blutwurst und die Zwiebeln darauf anrichten.

Zubereitungszeit: 45 Minuten
Pro Portion 15 g E, 39 g F, 46 g KH = 601 kcal (2520 kJ)

Schnippelbohnensuppe

Für 4 Portionen:
500 g Schneidebohnen (in Milchsäure vergoren, frisch oder aus dem Glas)
2 Zwiebeln
1 Möhre
1/2 l Fleischbrühe
500 g Kartoffeln
1 Porreestange
4 Mettwürstchen (Kochwürste)
1/2 Tl grob geschroteter Pfeffer

1. Die Schneidebohnen mit ihrer Flüssigkeit in den Topf geben. Zwiebeln und Möhre schälen und fein würfeln und zu den Bohnen geben. Die Fleischbrühe zugießen. Die Suppe bei milder Hitze zugedeckt 30 Minuten kochen lassen.

2. Die Kartoffeln schälen, waschen, in kleine Würfel schneiden, mit den Mettwürstchen in 1/2 l Wasser aufkochen und 15 Minuten leise sieden lassen.

3. Inzwischen den Porree putzen, längs vierteln, gründlich waschen, quer in feine Streifen schneiden und 5 Minuten vor Ende der Garzeit in die Bohnensuppe geben.

4. Kurz vor dem Servieren Kartoffeln und Würstchen in die Schnippelbohnen geben. Den Eintopf herzhaft salzen und pfeffern.

Rheinisches Schwarzbrot dazu essen.

Zubereitungszeit: 45 Minuten
Pro Portion 19 g E, 26 g F, 23 g KH = 408 kcal (1712 kJ)

Reibekuchen mit Apfelmus

Für 4–6 Portionen:
1 kg Kartoffeln
200 g Zwiebeln
200 g durchwachsener Speck
2 Eier (Gew.-Kl. 2)
Salz, Pfeffer (a. d. Mühle)
3 El Öl
250 g Schmand
1 Bund Schnittlauch
250 g Apfelmus

1. Die Kartoffeln schälen, waschen, gut abtrofen lassen und auf der Haushaltsreibe grob raffeln. Die Kartoffelraffel im Küchentuch gut ausdrücken. Sie müssen ganz trocken sein.

2. Die Zwiebeln pellen und fein würfeln. Den Speck fein würfeln. Beides in einer Schüssel mit den Eiern verrühren. Den Kartoffelteig herzhaft salzen und pfeffern.

3. Das Öl in einer großen Pfanne nach und nach erhitzen. Insgesamt 20 Puffer darin braten (pro Seite 3–4 Minuten).

4. Den Schmand mit Salz und Pfeffer würzen. Den Schnittlauch in feine Röllchen schneiden und unterheben.

5. Die Speckreibekuchen mit Schnittlauchschmand und Apfelmus servieren.

Zubereitungszeit: 35 Minuten
Pro Portion (bei 6 Portionen)
9 g E, 41 g F, 27 g KH = 514 kcal (2152 kJ)

Rheinischer Heringssalat

Für 4 Portionen:
3 Matjesfilets
60 g gekochtes Rind- oder Kalbfleisch
1 Gewürzgurke
1 Apfel (z. B. Boskop)
175 g gekochte Pellkartoffeln
2 hartgekochte Eier
125 g rote Bete (evtl. frisch gekocht oder a. d. Glas)
25 g Walnußkerne
2 El Mayonnaise
1 Becher saure Sahne (150 g)
3 El Essig
1 Tl Zucker
1/2 Tl Pfeffer (a. d. Mühle)
1/2 Tl Salz
1 kleine Zwiebel

1. Die Matjesfilets entgräten, 1 Stunde wässern, abtrocknen. Die Filets in kleine Würfel schneiden, ebenso das Fleisch und die Gewürzgurke. Apfel, Kartoffeln, Eier und gegebenenfalls rote Bete schälen und auch würfeln. Walnußkerne grob hacken.

2. Die Mayonnaise mit Sahne, Essig, Zucker, Pfeffer und Salz verquirlen. Die Zwiebel schälen, fein reiben und in die Sauce rühren. Die Salatzutaten daruntermischen.

3. Den Salat zugedeckt im Kühlschrank einen Tag lang durchziehen lassen. Vor dem Servieren noch einmal durchheben, abschmecken und eventuell mit etwas Rote-Bete-Saft aus dem Glas schlanker und rosiger machen.

Zubereitungszeit: 1 Stunde (plus Zeit zum Durchziehen)
Pro Portion 23 g E, 35 g F, 17 g KH = 476 kcal (1989 kJ)

Irene Schulte-Hillen lebt mit ihrer Familie schon lange in Hamburg, ihrer Heimatstadt Aachen ist sie nach wie vor von Herzen verbunden

Kölsche Kaviar mit Musik

Das ist ein deftiges Zwischenfrühstück und besteht aus schlichter „Blootwoosch" (gehäutete und in Scheiben geschnittene Blutwurst wird auf Tellern verteilt) und „Musik" (Zwiebeln in Ringen, die darüber kommen). Garniert wird mit Paprikapulver und Senf. Dazu gibt's „Röggelchen".

In Düsseldorf heißt das Gericht „Flöns mit Ölk", im Oberbergischen „Näcke Hennes" (Nackter Hans).

Wisser Hännes

Für 4 Portionen:
250 g feste Leberwurst
2 Zwiebeln
1 Lorbeerblatt
2 Gewürznelken
4 Pfefferkörner
4 Senfkörner
Essig
1 El Öl

1. Die Leberwurst pellen und in Scheiben schneiden. Die Zwiebeln pellen, würfeln und mit Leberwurst, Lorbeer, Nelken, Pfeffer- und Senfkörnern mischen. Essig und Öl darübergießen und noch mal tüchtig durchmischen. Den Salat über Nacht durchziehen lassen.

2. Vor dem Servieren das Lorbeerblatt aus dem Salat nehmen.

Dazu gibt es Schwarzbrot und einige klare Schnäpse für die Verdauung.

Zubereitungszeit: 20 Minuten (plus Zeit zum Durchziehen)
Pro Portion 11 g E, 20 g F, 2 g KH = 231 kcal (967 kJ)

Halver Hahn met Kompott

Ein halber Hahn ist kein Geflügel, sondern ein simples Käsebrötchen mit Senf. In Köln legt man auf ein halbiertes Röggelchen eine dicke Scheibe Holländer Käse, in Düsseldorf ist es Harzer Käse oder Limburger.
Der Käse wird dann dick mit Senf bestrichen, das Brötchen wieder zugeklappt und auf einem Holzbrett serviert. Dazu gibt es außerdem noch mal Senf und ein Glas Altbier oder Kölsch

Miesmuscheln in Weißwein

Für 4 Portionen:
4 kg Miesmuscheln
4 Zwiebeln
1/2 Sellerieknolle
2 Möhren
1 Bund Petersilie
1/2 l Weißwein
1 Tl grob geschroteter Pfeffer
1 Tl Salz
2 Lorbeerblätter

1. Die Miesmuscheln mehrmals gründlich waschen und dann noch einmal einzeln unter fließendem Wasser abbürsten, dabei die herausragenden Bärte abziehen. Die Muscheln noch weiter spülen, bis das Wasser ganz klar bleibt.

2. Zwiebeln, Sellerie und die Möhren schälen und in sehr feine Würfelchen schneiden. Die Petersilie waschen und grob schneiden.

3. Den Weißwein mit den Gewürzen, dem Gemüse und der Petersilie in einem möglichst großen Topf aufkochen. (Der Topf muß mindestens fünf Liter fassen.)

4. Die Muscheln in 2 Portionen nacheinander hineingeben und zugedeckt garen, bis sich die Schalen weit geöffnet haben.

5. Die Muscheln in einer großen Schüssel anrichten. Die Brühe in einer großen Terrine auf den Tisch stellen.

Zubereitungszeit: 1 Stunde
Pro Portion 12 g E, 2 g F, 9 g KH = 146 kcal (614 kJ)

Haben Sie noch eine alte Geige auf dem Dachboden?

Irene Schulte-Hillen ist Vorstandsvorsitzende der Deutschen Stiftung Musikleben, die sich der ideellen und materiellen Förderung hoffnungsvoller junger Talente in der klassischen Musik widmet. Die Stiftung braucht, wie jede Stiftung, immer Geld von freundlichen Spendern. Und sie braucht Instrumente, vor allem Streichinstrumente, die sie für die jungen Musiker in bespielbaren Zustand herrichten läßt. Es muß ja keine Stradivari sein, aber wenn Sie eine Geige oder ein Cello haben, mit der oder dem nicht mehr musiziert wird, dann sollten Sie sich mit der Stiftung in Verbindung setzen:

Deutsche Stiftung Musikleben
Herrengraben 3, 20459 Hamburg

Tel. 040/376 77 150; Fax 040/376 77 151

Spendenkonten

Deutsche Bank AG, Hamburg

Konto 02/20 004, BLZ 200 700 00

Commerzbank AG, Hamburg

Konto 6 411 003, BLZ 200 400 00

11. BERLIN

Kalbfleischbuletten und lauwarmer Kartoffelsalat mit Gurken und Kräuteröl: der Berliner Fleischklops fast wieder französisch

11. BERLIN

Kalbfleischbuletten

Zum Foto auf den Seiten 62/63

Für 4–6 Portionen:
2 Brötchen (altbacken)
150 ml Milch
100 g Zwiebeln
2 Knoblauchzehen
30 g Butter
1/2 Bund glatte Petersilie
500 g schieres Kalbfleisch
5 Sardellen (in Öl, abgetropft)
3 El Schlagsahne
1 El abgeriebene Zitronenschale (unbehandelt)
2 Eier
Salz
grober weißer Pfeffer
1 El Thymianblättchen
80 g Butterschmalz zum Braten

1. Die Brötchenrinde abreiben. Die Milch erhitzen. Die Brötchen würfeln und in der Milch wenden, bis alles aufgesogen ist.

2. Zwiebeln und Knoblauch pellen, fein hacken und in der heißen Butter glasig dünsten. Die Petersilie grob hacken und untermischen, alles zu den Brötchen geben.

3. Das Kalbfleisch in dicke Streifen schneiden und im Wechsel mit der Brötchenmischung durch die feine Scheibe des Fleischwolfs drehen.

4. Die Sardellen fein hacken und mit Sahne, Zitronenschale und Eiern unter das Fleisch kneten. Den Fleischteig herzhaft mit Salz, Pfeffer und Thymian würzen. Mit dem Eisportionierer (oder angefeuchteten Händen) Buletten formen und leicht flachdrücken.

5. In zwei großen Pfannen das Butterschmalz erhitzen. Die Buletten darin bei nicht zu starker Hitze von jeder Seite etwa 4 Minuten braten, bis sie leicht goldbraun und knusprig sind.

Einen lauwarmen Kartoffelsalat mit Gurken und Kräuteröl zu den Buletten reichen.

Zubereitungszeit: 45 Minuten
Pro Portion (bei 6 Portionen)
24 g E, 24 g F, 9 g KH = 349 kcal (1461 kJ)

Tip von Johann Lafer:

Die richtige Berliner Bulette besteht aus magerem („schierem") Rindfleisch und aus fettem Schweinefleisch – und das ist die französische Pastetenmischung. Die Hugenotten haben sie seinerzeit mitgebracht nach Berlin. Diese Mischung macht es, daß die Buletten besonders saftig bleiben, auch wenn sie kalt sind. Meine Kalbfleischbuletten sind nicht weniger gelungen. Das nötige Fett bringt hier die Sahne im Bulettenteig.

Lauwarmer Kartoffelsalat mit Gurken und Kräuteröl

Zum Foto auf den Seiten 62/63

Für 4–6 Portionen:
1 Salatgurke
1 El grobes Meersalz
500 g Kartoffeln (festkochend)
1 große Schalotte
100 g durchwachsener Speck
1 El Öl
100 ml Weißweinessig
125 ml Fleischbrühe
Salz, Pfeffer (a. d. Mühle)
1/2 Bund Radieschen
Kräuteröl
1/2 Bund glatte Petersilie
3 Majoranzweige
1/2 Bund Schnittlauch
80 ml Öl

1. Die Gurke schälen, längs halbieren, mit einem Löffel entkernen, Gurke in dünne Scheiben schneiden. Ein Sieb mit einem Mulltuch auslegen. Die Gurkenscheiben hineingeben, mit Meersalz bestreuen und etwa 1 Stunde Wasser ziehen lassen.

2. Inzwischen die Kartoffeln kochen, noch warm pellen und in Scheiben schneiden. Die Schalotte pellen und fein würfeln. Den Speck ohne Schwarte fein würfeln.

3. Das Öl in einer Pfanne erhitzen. Den Speck darin langsam leicht knusprig ausbraten. Die Schalottenwürfel zugeben und glasig braten, mit Essig ablöschen und mit der Brühe aufkochen, herzhaft salzen und pfeffern.

4. Die heiße Specksauce über die Kartoffeln gießen und 20 Minuten ziehen lassen, dabei gelegentlich wenden. Die Gurken im Tuch ausdrücken und untermischen.

5. Inzwischen Petersilie, Majoran und Schnittlauch grob zerschneiden und im Öl pürieren.

6. Die Radieschen putzen, in Scheiben schneiden und locker unter den Salat mischen.. Das Kräuteröl darüberträufeln und leicht durchmischen.

Den Kartoffelsalat lauwarm zu den Kalbfleischbuletten servieren.

Zubereitungszeit: 1 1/4 Stunden
Pro Portion (bei 6 Portionen)
3 g E, 25 g F, 12 g KH = 289 kcal (1211 kJ)

Berliner Pfannkuchen-Auflauf m

Berliner Pfannkuchen-Auflauf mit Orangenkaramel

Zum Foto oben

Für 4–6 Portionen:
Auflauf
4 Berliner Pfannkuchen (vom Vortag)
500 g Äpfel (z. B. Boskop)
2–3 El Zitronensaft
50 g Honig
Mark aus 1 Vanilleschote
1 Msp. Zimtpulver, 20 g Butter
1 El Semmelbrösel
6 Eier (Gew.-Kl. 3), 40 g Zucker
250 ml Schlagsahne
Salz

rangenkaramel: wie sich alte Berliner in eine neue, süße Speise verwandeln

Orangenkaramel
60 g Zucker, 250 ml Orangensaft
1 El abgeriebene Orangenschale (unbehandelt)
4 cl Orangenlikör

1. Die Berliner Pfannkuchen (siehe Seite 66) in je 4–5 Scheiben schneiden. Die Äpfel schälen, in 1 cm dicken Scheiben von den Kerngehäusen schneiden und würfeln.

2. Zitronensaft, Honig, Vanillemark und Zimt in einer großen Pfanne heiß werden lassen. Die Äpfel darin etwa 5 Minuten dünsten, gelegentlich wenden.

3. Eine flache, ofenfeste Form (2 1/2 l Inhalt) mit Butter auspinseln und mit Bröseln ausstreuen. Die Pfannkuchenscheiben hineinsetzen. Die Äpfel so dazwischen einschichten, daß die Scheiben etwas Abstand haben und fast aufrecht stehen.

4. 2 Eier trennen. Das Eigelb mit den restlichen Eiern, 20 g Zucker und der Sahne verquirlen. Das Eiweiß mit dem restlichen Zucker und 1 Prise Salz steif schlagen und unterziehen. Den Eierguß löffelweise langsam zwischen den Scheiben und darum herum verteilen.

5. Den Auflauf im vorgeheizten Backofen auf der 2. Leiste von unten bei 175 Grad (Gas 2, Umluft 150 Grad) 20–25 Minuten backen.

6. Inzwischen für den Orangenkaramel den Zucker in einem Topf schmelzen. Den Orangensaft zugießen und kochen, bis sich der Zucker aufgelöst hat. Die Orangenschale untermischen und leicht sirupartig einkochen. Die Sauce durch ein Haarsieb gießen und abkühlen lassen. Den Orangenkaramel mit dem Likör würzen und zum Auflauf servieren.

Dazu paßt eiskalte Schlagsahne.

Zubereitungszeit: 50 Minuten
Pro Portion (bei 6 Portionen)
12 g E, 28 g F, 57 g KH = 539 kcal (2259 kJ)

Eisbein mit Sauerkraut und Erbspüree

Für 4 Portionen:
250 g Erbsen (möglichst geschälte gelbe)
4 Portionen Eisbein (zusammen etwa 1 kg)
3 Zwiebeln
1 Bund Suppengrün
2 Lorbeerblätter
3 Pimentkörner
8 Pfefferkörner
50 g Schmalz
750 g Sauerkraut
5 Wacholderbeeren
Zucker
1 Kartoffel
evtl. etwas Fleischextrakt
75 g durchwachsener Speck

1. Die Erbsen in einem Topf mit Wasser bedecken und über Nacht einweichen.

2. Das Eisbein am anderen Morgen in reichlich kaltem Wasser aufsetzen, aufkochen und abschäumen. Dann mit 1 Zwiebel, geputztem, nicht zerkleinertem Suppengrün, 1 Lorbeerblatt, den Piment- und Pfefferkörnern in etwa 2 1/2 Stunden offen langsam weich kochen.

3. 1 Stunde vor Ende der Garzeit die Erbsen mit dem Einweichwasser aufsetzen und bei milder Hitze langsam ausquellen lassen. Dabei nach Bedarf ab und zu etwas durchgesiebte Eisbeinbrühe zugießen. Der Erbsbrei darf nicht zu flüssig werden, aber auch nicht anbrennen.

4. Zur gleichen Zeit das Sauerkraut zubereiten: Die 2. Zwiebel würfeln, im Schmalz anbraten. Das Sauerkraut etwas auseinanderzupfen, dann mit dem 2. Lorbeerblatt, den Wacholderbeeren und 1 Prise Zucker im Schmalz schmoren. Bei Bedarf ebenfalls etwas durchgesiebte Eisbeinbrühe zugießen.

5. Zum Schluß die rohe Kartoffel zum Binden ins Sauerkraut reiben. Das Sauerkraut noch einmal 5 Minuten kochen lassen und auf eine vorgewärmte Servierplatte geben. Das Eisbein abtropfen lassen und auf dem Sauerkraut anrichten.

6. Den Erbsbrei pürieren, eventuell noch mit Fleischextrakt abschmecken und in eine vorgewärmte Schüssel geben.

7. Den Speck und die restliche Zwiebel würfeln, in der Pfanne ausbraten, über das angerichtete Erbspüree gießen und zum Eisbein reichen.

Zubereitungszeit: 2 3/4 Stunden (plus Zeit zum Einweichen)
Pro Portion 60 g E, 50 g F, 33 g KH = 834 kcal (3491 kJ)

Berliner Buletten

Für 8 Stück:
250 g mageres Rinderhackfleisch (Beefsteakhack oder Tatar)
250 g Schweinemett
1 Brötchen (in Wasser eingeweicht und gut ausgedrückt, ersatzweise 50 g altbackenes Weißbrot)
1 Ei
1 große gewürfelte Zwiebel (in 10 g Butter glasig gedünstet)
Salz, Pfeffer (a. d. Mühle)
Butterschmalz zum Braten (oder Schweineschmalz oder Öl)

1. Hack und Mett mit dem zerpflückten Brötchen und dem Ei gut mischen. Zwiebel würfeln, in der Butter glasig dünsten und ebenfalls untermischen. Den Fleischteig herzhaft salzen und pfeffern und 8 gleich große Kugeln daraus formen. Die Kugeln etwas flachdrücken.

2. Das Butterschmalz in einer großen Pfanne erhitzen. Die Buletten bei mittlerer Hitze von beiden Seiten langsam braun und knusprig braten.

Zubereitungszeit: 45 Minuten
Pro Stück 13 g E, 15 g F, 3 g KH = 195 kcal (815 kJ)

E&T: Durch die Verwendung von magerem (schierem) Rindfleisch und fettem Schweinefleisch („Pastetenmischung" aus Frankreich, von den Hugenotten mitgebracht!) bleiben die Buletten besonders saftig, auch wenn sie kalt sind. Wenn Buletten heiß zu Salzkartoffeln und Gemüse serviert werden, läßt man im Bratfett noch Ringe von 1–2 Zwiebeln goldbraun werden. Kalt ißt man sie mit Brötchen („Knüppel") und Mostrich (Senf).

Berlin: austern- und kaviarsüchtig

Kurfürst Joachim II. (1535–1571), als freßlustig bekannt, sorgte für den ersten regelmäßigen Austerntransport im Eiswagen zwischen Hamburg und Berlin. Rahel von Varnhagen, in deren Berliner Salon sich die geistige Elite traf, schwelgte: „In Austern kann man sich tiefsinnig essen." Und ein austernbegeisterter Küchenchef schließlich gab Tatar auf heißen Toast, setzte eine entbartete Auster darauf, umlegte sie mit einem Kranz aus Kaviar und widmete seine Création als „Lucca-Auge" der Sängerin Pauline Lucca, der zu jener Zeit das Berliner Publikum zu Füßen lag. Daß der Berliner „helle" ist, führt er, der Berliner, im übrigen darauf zurück, daß Fisch ganz oben auf seinem Ernährungsfahrplan steht. Fisch enthält Phosphor, und Phosphor macht „helle".

Sülzkoteletts

Für 4–6 Portionen:
Salz, 2 Zwiebeln
1 Lorbeerblatt
500 g Kasseler (ohne Knochen)
1 Stück Sellerie, 1 Möhre
Weinessig, Zucker
6 Blatt Gelatine
Garnitur
1 Gewürzgurke und 1 Ei
(in Scheiben geschnitten)
rote Paprikastreifen

1. Salzwasser zum Kochen bringen. Die Zwiebeln pellen, vierteln und zusammen mit dem Lorbeerblatt ins Wasser geben. Das Fleisch einlegen und 30 Minuten kochen.

2. Den Sellerie und die Möhre putzen und grob zerteilen, zum Fleisch geben und weitere 15 Minuten bei milder Hitze kochen.

3. Den Sud mit etwas Weinessig und etwas Zucker pikant abschmecken. Das Fleisch in der Brühe kalt werden lassen, abtropfen lassen und in 4–6 Scheiben schneiden.

4. Die Gelatine in Wasser einweichen. Die Brühe entfetten und klären. 1/2 l Brühe mit der aufgelösten Gelatine mischen.

5. So viel Gelierflüssigkeit in die Sülzkotelettform gießen, daß der Boden bedeckt ist (einen Spiegel gießen). Wenn die Sülze fest ist, das Fleisch und die Garniturzutaten darauf anrichten, mit der restlichen Flüssigkeit bedecken und im Kühlschrank fest werden lassen.

Zubereitungszeit: 1 1/4 Stunden (plus Kühlzeiten)
Pro Portion (bei 6 Portionen)
18 g E, 8 g F, 1 g KH = 149 kcal (623 kJ)

E&T: Will man das Fleisch gestürzt servieren, gibt man zuerst die Garnitur auf den Gelatinespiegel, darauf das Fleisch und begießt alles mit der restlichen Flüssigkeit.

Wie die Berliner zu den Pfannkuchen kamen

Überall heißen die faustgroßen, mit Marmelade oder Apfelmus gefüllten und in heißem Schmalz ausgebackenen Kugeln aus Hefeteig „Berliner", nur in Berlin nennt man sie schlicht „Pfannkuchen". Es heißt, daß sie von einem Bäckergesellen erfunden wurden, der im 18. Jahrhundert zwar zur Artillerie eingezogen, aber – da nicht felddiensttauglich – zum Regimentsbäcker ernannt wurde. Aus Dankbarkeit verwöhnte er sein Regiment (vermutlich nur die Offiziere) mit einem Gebäck in Form von kleinen Kanonenkugeln.

Am besten schmecken die Berliner, wenn sie mit Pflaumenmus gefüllt sind, und es muß mit eingebacken sein (und nicht nachträglich mit dem Spritzbeutel eingefüllt!)

Bollenfleisch

Für 4 Portionen:
1,2 kg Zwiebeln
1,2 kg Lamm- oder Hammelschulter
Salz, Pfeffer (a. d. Mühle)
12 El Kümmelkörner
12 Lorbeerblätter
12 Knoblauchzehen

1. Die Zwiebeln pellen und im ganzen zusammen mit dem Fleisch in einen großen Topf geben. So viel Wasser zugießen, daß das Fleisch und die Zwiebeln knapp bedeckt sind. Kräftig salzen und pfeffern. Kümmel, Lorbeerblätter und geschälte ganze oder durchgedrückte Knoblauchzehen zugeben. Einmal kurz aufkochen lassen und bei milder Hitze in 1–1 1/2 Stunden langsam gar kochen.

2. Das Fleisch herausnehmen, vom Knochen lösen und kleinschneiden. Wieder in die Brühe geben und noch einmal erhitzen.

3. Die Lorbeerblätter herausnehmen. Das Bollenfleisch abschmecken und vor dem Servieren in eine stark vorgewärmte Terrine umfüllen.

Dazu gibt es Quetschkartoffeln und eine „saure Gurke".

Zubereitungszeit: 1 1/2–2 Stunden
Pro Portion 51 g E, 17 g F, 15 g KH = 419 kcal (1752 kJ)

Quetschkartoffeln

Für 4 Portionen:
500 g Kartoffeln (mehligkochend)
Salz
1/8–1/4 l Fleischbrühe
(evtl. vom Bollenfleisch)

1. Die Kartoffeln schälen, waschen, 20 Minuten in Salzwasser weich kochen und anschließend abgießen und sehr gut ausdämpfen lassen.

2. Die Fleischbrühe über die Kartoffeln gießen. Die Kartoffeln mit dem Kartoffelstampfer grob stampfen, in eine vorgewärmte Schüssel geben und servieren.

Zubereitungszeit: 45 Minuten
Pro Portion 2 g E, 0 g F, 15 g KH = 72 kcal (301 kJ)

E&T: Die Kartoffeln dürfen auf keinen Fall mit dem Pürierstab zermust werden, sie würden dann schleimig werden.

Bei Tisch häuft sich jeder Esser ein „Nest" aus den Quetschkartoffeln auf den Teller. In die Mitte wird das Bollenfleisch gegeben. Reiche Menschen leisten sich als zusätzliche Beilage eine saure Gurke (die in Norddeutschland unter dem Namen „Salzgurke" verkauft wird). Getrunken werden zum Bollenfleisch Bier und Korn.

Schnitzel à la Holstein

Wie es dem Geheimrat Fritz von Holstein, der Grauen Eminenz Bismarcks, im Restaurant Borchardt in der Französischen Straße zu Berlin serviert wurde:

Ein ausgesuchtes Kalbsschnitzel wurde gebraten und dann mit einem Setzei und Sardellen angereichert, wozu noch grüne Bohnen und feine Champignons getan wurden. Dreieckige Weißbrotscheiben wurden hinzugefügt. Hummer, Lachs und Kaviar veredelten diese.

Vom Borchardtschen Küchenmeister ist allerdings noch eine andere Version überliefert:

Weil der Geheimrat eines Tages seine Vorspeise gleichzeitig mit dem Hauptgericht serviert haben wollte, brachte man ihm ein Naturschnitzel, belegt mit einem Spiegelei und mit Kapern bestreut. Dazu geröstete Croûtons, belegt mit Kaviar, Räucherlachs, Sardinen und Sardellenfilets. Außerdem wurde die Platte noch mit glasierten roten Rüben garniert.

Uriges Berliner Büffet: mit Buletten, Sülzkoteletts, Rollmöpsen, sauren Gurken, Soleiern, Schusterjungs mit Hackepeter und Knüppel mit italienischem Fleischsalat

12. WESTFALEN

Kaninchen im Wirsingmantel mit Kapernsauce: kein westfälisches Jägerlatein, sondern Lafers Beitrag zum Thema „feingemachter Stallhase"

12. WESTFALEN

Kaninchen im Wirsingmantel mit Kapernsauce

Zum Foto auf den Seiten 68/69

Für 6–8 Portionen:
1/2 Bund Suppengrün, 120 g Schalotten
4 Kaninchenkeulen (à etwa 250 g)
50 g Butterschmalz, 1/2 Tl Pfefferkörner
3 Lorbeerblätter, 3 Gewürznelken
1 l Fleischbrühe (oder 400 ml Kalbsfond + 600 ml Wasser)
1 Knoblauchzehe
1 Bund glatte Petersilie
2 Brötchen (vom Vortag)
100 ml Milch, 30 g Kapern
1 El abgeriebene Zitronenschale (unbehandelt)
1 Eigelb
Salz, Pfeffer (a. d. Mühle)
8 große Wirsingblätter (600 g)
100 g gewürfelte Zwiebeln
40 g Butter, 15 g Mehl
150 ml Schlagsahne
2 Zitronen (unbehandelt)

1. Suppengrün und 2 Schalotten putzen und würfeln. Die Kaninchenkeulen häuten. Das Fleisch von den Knochen schneiden, die Sehnen entfernen. Die Knochen hacken und mit den Fleischabschnitten in 10 g heißem Butterschmalz goldbraun anbraten.

2. Gemüsewürfel und Pfefferkörner, Lorbeer und Nelken zugeben, mit der Brühe auffüllen und offen in etwa 1 Stunde leise auf 250 ml einkochen. Die Brühe gelegentlich sorgfältig abschäumen und anschließend durch ein Haarsieb gießen.

3. Inzwischen das Kaninchenfleisch zweimal durch die feine Scheibe des Fleischwolfs drehen. Den Knoblauch und die restlichen Schalotten pellen, sehr fein würfeln und in 15 g Butterschmalz glasig dünsten. Die Petersilie hacken, die Hälfte untermischen und abkühlen lassen. Die Brötchen würfeln. Die Milch erhitzen, die Brötchen darin wenden, ebenfalls abkühlen lassen.

4. Schalottenmischung und Brötchen zweimal durch die feine Scheibe des Fleischwolfs drehen. 1 El Kapern fein hacken. Alles mit Zitronenschale und Eigelb unter das Fleisch kneten, mit Salz und Pfeffer würzen.

5. Die Wirsingblätter in kochendem Salzwasser 2–3 Minuten blanchieren, in Eiswasser abschrecken, auf Tüchern abtropfen lassen und trockentupfen. Die Mittelrippen keilförmig herausschneiden.

6. Die Farce unten auf die Wirsingblätter setzen, die Seiten über die Füllung schlagen. Die Blätter zu Rouladen aufrollen und mit Küchengarn zusammenbinden.

7. Das restliche Butterschmalz im Bräter erhitzen. Die Rouladen darin rundherum goldbraun anbraten. Die Zwiebeln zugeben und anbraten. Den Saucenfond zugießen. Die Rouladen zugedeckt 20 Minuten schmoren, dabei einmal wenden. Herausnehmen und zugedeckt warm stellen.

8. Die Butter im Topf schmelzen. Das Mehl mit dem Schneebesen unterrühren und anschwitzen. Den Schmorfond und 100 ml Sahne zugießen und unter gelegentlichem Rühren 10 Minuten kochen.

9. Inzwischen die Zitronen filetieren, den Saft auffangen. Die Sauce mit Salz, Pfeffer und 1–2 El Zitronensaft würzen. Zitronenfilets, restliche Kapern und Petersilie untermischen. Die restliche Sahne steif schlagen und unterziehen.

Die Sauce zum Kaninchen im Wirsingmantel servieren.

Dazu passen Salzkartoffeln.

Zubereitungszeit: 3 Stunden
Pro Portion (bei 8 Portionen)
25 g E, 21 g F, 14 g KH = 347 kcal (1451 kJ)

Feines Dessert: Pumpernickelsoufflé mit Johannisbeersauce

Pumpernickelsoufflés mit Johannisbeersauce

Zum Foto oben

Für 4 Portionen:
Soufflés
50 g Pumpernickel
20 g gehäutete Haselnußkerne
75 g dunkle Kuvertüre, 70 g weiche Butter
75 g Zucker, 3 Eier (Gew.-Kl. 3)
Salz, 15 g Mehl
Butter und Zucker für die Förmchen
Sauce
250 g rote Johannisbeeren (TK, aufgetaut)
50 ml schwarzer Johannisbeerlikör
50 g Puderzucker (gesiebt), 1 El Honig
150 ml Schlagsahne, Zimtpulver
Minzeblätter für die Garnitur

1. Für die Soufflés den Pumpernickel würfeln, mit den Haselnüssen in einer Pfanne ohne Fett anrösten und im Mixer fein zermahlen. Die Kuvertüre zerkleinern und schmelzen.

2. Butter und 40 g Zucker schaumig rühren. Die Eier trennen. Das Eigelb und die Kuvertüre nach und nach unter die Buttermasse rühren. Das Eiweiß mit dem restlichen Zucker und 1 Prise Salz steif schlagen. Die Hälfte davon unter die Buttermasse rühren. Das Mehl sieben und untermischen. Dann die Pumpernickelmischung unterrühren und den restlichen Eischnee unterheben.

3. 4 Förmchen (à 150 ml Inhalt) einfetten, mit Zucker ausstreuen und mit der Soufflémasse füllen.

4. Die Förmchen in ein heißes Wasserbad stellen und im vorgeheizten Backofen auf der 2. Leiste von unten bei 200 Grad (Gas 3, Umluft 180 Grad) etwa 25 Minuten backen.

5. Inzwischen für die Sauce die Johannisbeeren (bis auf ein paar zum Garnieren) durch ein feines Sieb streichen. Das Johannisbeermark mit Likör, Puderzucker und Honig verrühren. Die Sahne halbsteif schlagen und kalt stellen.

6. Die Soufflés aus dem Wasserbad nehmen und aus den Förmchen stürzen, umgedreht auf Teller setzen und mit der Sauce umgießen. Mit beiseitegelegten Johannisbeeren, Sahne, Zimt und Minze garnieren.

Zubereitungszeit: 1 Stunde
Pro Portion 11 g E, 38 g F, 68 g KH = 682 kcal (2856 kJ)

KLASSIKER

Pfannen-Pickert

Für 4–6 Portionen:
4 El Milch, 30 g frische Hefe
1 Tl Zucker, 1 1/4 kg Kartoffeln
3 große oder 4 kleine Eier
3 El Weizen oder Buchweizenmehl, Salz
150 g Rosinen, etwas Butter

1. Die Milch leicht erwärmen und die zerbröckelte Hefe mit dem Zucker darin gehen lassen.

2. Die Kartoffeln schälen, reiben und leicht ausdrücken. Die Eier, das Mehl, etwas Salz und die Rosinen mit den geriebenen Kartoffeln verrühren und den Hefevorteig untermischen. Der Teig darf nicht zu fest werden, eventuell noch 1–2 El Milch zufügen. Den Teig an einem warmen Platz gehen lassen.

3. Eine Pfanne gut mit Butter ausstreichen, den Teig darin etwa 1 cm dick portionsweise einstreichen, kroß braten und heiß servieren.

Zubereitungszeit: 45 Minuten
Pro Portion (bei 6 Portionen)
9 g E, 8 g F, 49 g KH = 310 kcal (1294 kJ)

E&T: Für fast jeden Pickert gilt die Regel: Erst backen, dann wieder kalt werden lassen, in Scheiben schneiden und dann noch einmal backen. (Damit der Teig recht viel Fett aufsaugt, die Westfalen brauchen das, sagt man.)

Westfälische Götterspeise

Für 4 Portionen:
250 g Pumpernickel, 40 ml Rum
250 ml Waldbeerensauce (a. d. Glas)
2 El Zitronensaft
500 g gemischte Beerenfrüchte (TK)
500 g Magerquark, 1 Vanilleschote
fein abgeriebene Schale von 1 Zitrone (unbehandelt)
3 El Zucker, 1/4 l Schlagsahne

1. Den Pumpernickel sehr fein in eine Glasschale bröseln, mit dem Rum beträufeln und zudecken.

2. Die Fruchtsauce mit dem Zitronensaft erwärmen, die Beeren darin bei milder Hitze auftauen, aber auf keinen Fall kochen lassen. Das Kompott abkühlen lassen.

3. Den Quark mit dem ausgekratzten Vanillemark, der Zitronenschale und dem Zucker verrühren. Die Sahne steif schlagen und unter den Quark ziehen.

4. Die Beeren auf den Pumpernickel geben und mit der Quarkmasse begießen.

5. Die Quarkspeise bis zum Servieren kalt stellen.

Die Westfälische Götterspeise so kühl wie möglich servieren.

Zubereitungszeit:Zubereitungszeit: 30 Minuten
Pro Portion 24 g E, 20 g F, 57 g KH = 542 kcal (2270 kJ)

Britta Biermann aus dem schönen Soest erklärt die urwüchsige Küche Westfalens und deren weithin gerühmte Spezialitäten

Westfälischer Pfeffer-Potthast

Für 4–6 Portionen:
1,5 kg Rindergulasch
1 Bund grob gewürfeltes Suppengrün
2 El Öl, 500 g Porree
1 Bund Thymian, 2 Tl Pfefferkörner
1 Tl Wacholderbeeren
2 Lorbeerblätter, 1 halbierte Zimtstange
1 frische, rote Chilischote
500 g gepellte Schalotten
1 Bund glatte Petersilie
150 g Pumpernickel
1 unbehandelte Zitrone
Salz, Pfeffer (a. d. Mühle)

1. Fleisch und Suppengrün im heißen Öl anrösten. 2 1/2 l Wasser dazugießen. Das Fleisch 1 1/4 Stunden leise kochen, dabei ab und zu abschäumen.

2. Porree in Scheiben schneiden. Suppengrün und Fleisch aus der Brühe heben, das Fleisch wieder hineingeben.

3. Das Fleisch mit gehacktem Thymian, Pfeffer, Wacholder, Lorbeer, Zimt und Chili bei milder Hitze offen 30 Minuten leise kochen, nach 15 Minuten Porree und Schalotten zugeben.

4. Die Petersilie grob hacken. Den Pumpernickel im Mixer fein zerkleinern. Die Hälfte der Zitronenschale dünn abschälen, in feine Späne schneiden. 2 El Zitronensaft auspressen.

5. Den Eintopf mit Salz, Pfeffer, Zitronensaft und der Hälfte der Petersilie würzen.

6. Den Pumpernickel mit den Zitronenspänen und der restlichen Petersilie mischen und zum Eintopf servieren.

Zubereitungszeit: 2 Stunden
Pro Portion (bei 6 Portionen)
55 g E, 15 g F, 16 g KH = 420 kcal (1757 kJ)

Münstersche Altbierbowle

Für 4 Portionen:
50 g Zucker, 200 g Erdbeeren
8 cl Kornbrand, 1 l Altbier

1. Den Zucker in wenig heißem Wasser auflösen und kalt werden lassen.

2. Die Erdbeeren putzen, vierteln und in ein Bowlengefäß legen. Die Zuckerlösung und den Schnaps darauf gießen. Den Bowlenansatz 1 Stunde an einem kühlen Platz durchziehen lassen.

3. Vor dem Servieren das kalte Altbier in den Bowlenansatz gießen. Die Bowle sofort servieren.

Zubereitungszeit: 30 Minuten (plus Zeit zum Durchziehen)
Pro Portion 2 g E, 0 g F, 24 g KH = 219 kcal (919 kJ)

Variation: Es können auch Pfirsich- und/oder Orangenspalten in die Altbierbowle gegeben werden.

13. FRANKEN

Für schöne Tage ein besonders festliches Dessert aus Nürnberg: ein Lebkuchen-Cremeguglhupf im Schokomantel

13. FRANKEN

Lebkuchen-Cremeguglhupf im Schokomantel

Zum Foto auf den Seiten 72/73

Für 6–8 Portionen:
Creme
6 Blatt weiße Gelatine
300 ml Milch
80 g Zucker
4 Eigelb
2 Tl Lebkuchengewürz
20 g Bitterschokolade
250 ml Schlagsahne
1 Biskuit-Obstboden
2 cl Rum
Sauce
50 g Zucker
1 El dunkles Kakaopulver
125 ml Schlagsahne
50 g Vollmilchkuvertüre
50 g Bitterkuvertüre
20 g Butter
50 g geröstete Mandelblättchen

1. Die Gelatine in reichlich kaltem Wasser einweichen. Milch, 60 g Zucker, Eigelb und Lebkuchengewürz in einem Schneekessel verrühren. Über einem heißen Wasserbad unter ständigem Schlagen erhitzen, bis die Masse dick-schaumig ist, die Gelatine ausdrücken und darin auflösen. Den Schneekessel in ein Eiswasserbad stellen.

2. Die Masse kaltschlagen und kalt stellen, bis sie auch in der Mitte anfängt, leicht zu gelieren. Inzwischen die Schokolade fein reiben. Die Sahne mit dem restlichen Zucker steif schlagen. Eine Guglhupfform von gut 1 1/4 l Inhalt (bis zum Rand ausgelitert) kopfüber in den Biskuit drücken und einen Ringdeckel ausschneiden.

3. Die Creme mit dem Rum glattrühren. Die Sahne und die Schokolade unterheben. Die Guglhupfform kalt ausspülen. Die Creme einfüllen und mit dem Biskuitdeckel verschließen. Mit Folie abdecken und mindestens 4 Stunden gelieren lassen. Die Ränder mit einem spitzen Messer lösen. Die Form kurz in lauwarmes Wasser tauchen, auf eine Platte stürzen und kalt stellen.

4. Für den Schokoladenmantel 50 ml Wasser mit Zucker und Kakao verrühren, aufkochen und 25 ml Sahne neben dem Herd unterrühren. Vollmilch- und Bitterkuvertüre fein und gleichmäßig hacken. Die restliche Sahne mit der Butter erwärmen, die Kuvertüre darin auflösen und mit der Kakaomasse verrühren. Abkühlen lassen, dann die Hälfte über den Guglhupf gießen und mit Mandelblättchen bestreuen. Die restliche Sauce extra reichen.

Zubereitungszeit: 1 Stunde (plus Kühlzeiten)
Pro Portion (bei 8 Portionen)
12 g E, 29 g F, 47 g KH = 506 kcal (2120 kJ)

Fränkisches Fastenessen: Karpfenragout mit Schwemmklößche

Karpfenragout mit Schwemmklößchen und Knoblauchsauce

Zum Foto oben

Für 4–6 Portionen:
Sauce
2 Schalotten, 3 Knoblauchzehen
40 g Butter, 15 g Mehl
150 ml Fischfond (a. d. Glas)
100 ml Schlagsahne, Salz
Gemüse
200 g gepellte Perlzwiebeln
150 g Möhrenscheiben
100 g Erbsen, Salz
Schwemmklößchen
50 g zimmerwarme Butter
2 Eier (Gew.-Kl. 2, 1 Ei getrennt), Salz
1/2 El fein abgeriebene Zitronenschale (unbehandelt)
100 g Mehl, 1 El gehackte Petersilie
Fisch
600 g Karpfenfilet (beim Fischhändler vorbestellen), Salz, Pfeffer (a. d. Mühle)
30 g Butterschmalz
Garnitur
4 Knoblauchzehen, 60 g Butterschmalz, 50 ml Schlagsahne, 2 El gehackter Dill

1. Für die Sauce Schalotten und Knoblauch pellen, sehr fein würfeln und in der heißen Butter glasig andünsten. Das Mehl darüberstäuben, unterrühren und anschwitzen. Fond und Sahne unter kräftigem Rühren zugießen und offen 15 Minuten leise kochen lassen. Die Sauce mit Salz würzen.

2. Perlzwiebeln, Möhren und Erbsen nacheinander in kochendem Salzwasser blanchieren, in Eiswasser abschrecken und abtropfen lassen.

3. Für die Klößchen die Butter schaumig rühren, 1 Ei und 1 Eigelb unterrühren, mit Salz und Zitronenschale würzen. Mehl und Petersilie unter die Buttermasse rühren. Das Eiweiß mit 1 Prise Salz steif schlagen und zum Schluß unterheben. Die Masse in einen Spritzbeutel mit Lochtülle füllen.

4. In einem großen Topf Salzwasser sprudelnd aufkochen lassen. Den Spritzbeutel mit einer Hand halten. Kleine Teigwürstchen ins Salzwasser drücken und mit einem Messer von der Tülle abschneiden. Die Klößchen etwa 5 Minuten garen, dann mit der Schaumkelle herausnehmen und in kaltem Wasser abschrecken.

5. Die Fischfilets auf restliche Gräten kontrollieren und in breite Stücke schneiden. Die Fischstücke mit Salz und Pfeffer würzen und im heißen Butterschmalz von beiden Seiten kurz anbraten, mit der Schaumkelle herausnehmen, auf Küchenpapier abtropfen lassen und auf eine vorgewärmte Platte legen.

6. Die Perlzwiebeln im Bratfett 5 Minuten dünsten. Die Möhren zugeben und 2 weitere Minuten dünsten. Erbsen, Fischstücke und Schwemmklößchen zugeben und zugedeckt bei sehr milder Hitze 5 Minuten ziehen lassen.

7. Inzwischen den Knoblauch pellen, in Scheiben schneiden, im heißen Butterschmalz goldbraun braten und auf Küchenpapier abtropfen lassen.

8. Die Sauce erwärmen. Die Sahne steif schlagen und mit dem Dill unterheben. Die Knoblauchsauce über das Ragout gießen, mit den Knoblauchscheiben bestreuen und servieren.

Zubereitungszeit: 2 Stunden
Pro Portion (bei 6 Portionen)
25 g E, 42 g F, 20 g KH = 562 kcal (2353 kJ)

KLASSIKER

Blaue Zipfel

Für 4 Portionen:
4 große Zwiebeln
1 Tl Salz
1/8 l Weinessig
1 Tl Zucker
2 Lorbeerblätter
1 Gewürznelke
5 Pfefferkörner
5 Wacholderbeeren
8 Nürnberger Schweinsbratwürstl

1. Die Zwiebeln schälen und in Scheiben schneiden. In einem Topf 1 l Salzwasser aufkochen. Zwiebeln, Essig, Zucker, Lorbeer, Nelke, Pfeffer und Wacholder hineingeben und 20 Minuten kochen lassen. Dann die Hitze herunterschalten.

2. Die Würste im Sud etwa 15 Minuten ziehen, aber nicht kochen lassen. Sie sind gar, wenn sie fest werden. Die Würste aus dem Sud heben, auf tiefe Teller verteilen, etwas Sud darübergießen. Die Zwiebeln darauf verteilen.

Dazu Schwarzbrot, fränkisches Bier oder einen trockenen Frankenwein reichen.

Zubereitungszeit: 40 Minuten
Pro Portion 23 g E, 17 g F, 5 g KH = 269 kcal (1126 kJ)

Nürnberger Schäufele

Für 4 Portionen:
1 Zwiebel
1 El Butter
1 kg Schäufele (Schweinefleisch aus der Schulter, mit Knochen)
Salz
1 Tl Pfeffer (a. d. Mühle)
1 Tl frisch gemahlener Kümmel
etwa 3 Tl Mehl

1. Die Zwiebel pellen und fein würfeln. Die Butter in einem Bräter zerlassen. Die Zwiebel darin glasig braten.

2. Das Fleisch mit Salz, Pfeffer und Kümmel einreiben, im Fett kurz ringsum anbräunen. Etwa 1/2 l Wasser zugießen.

3. Den Bräter im vorgeheizten Backofen auf der 2. Leiste von unten einsetzen. Das Schäufele bei 220 Grad (Gas 3–4, Umluft 200 Grad) mindestens 2 Stunden braten. Zwischendurch immer wieder mit Wasser beschöpfen. Den fertigen Braten aus dem Bräter nehmen und auf einer vorgewärmten Platte warm stellen.

4. Das Mehl mit etwas Wasser anrühren, den Bratensaft damit binden, mit Salz und Pfeffer abschmecken und als klare Sauce zum Braten reichen.

Zum Nürnberger Schäufele Klöße und Sauerkraut servieren.

Zubereitungszeit: 2 1/2 Stunden
Pro Portion 26 g E, 16 g F, 4 g KH = 268 kcal (1118 KJ)

Bamberger Zwiebeln

Für 4 Portionen:
8 große Gemüsezwiebeln
1/2 l Fleischbrühe
Salz, Pfeffer (a. d. Mühle)
400 g grobes Bratwurstbrät
8 Scheiben Frühstücksspeck
3 El Bamberger Rauchbier (ersatzweise Starkbier)

1. Die Zwiebeln pellen und in der Fleischbrühe bei milder Hitze 10 Minuten kochen, mit einem Sieb herausheben und darin abkühlen lassen.

2. Auf der Wurzelseite jeder Zwiebel (da, wo die Fäden hängen) einen 1 cm dicken Deckel abschneiden, auf der anderen Seite das Lauch so weit wegschneiden, daß die Zwiebel stehen kann. Die Zwiebeln von der Wurzelseite her mit einem Messer aushöhlen, innen leicht salzen und pfeffern. Die Zwiebeln mit der Bratwurstmasse füllen. Die Deckel daraufsetzen.

3. Die Zwiebeln in eine feuerfeste Form setzen. 1/4 l der Fleischbrühe zugießen. Die Zwiebeln zugedeckt im vorgeheizten Backofen auf der 2. Leiste von unten Backofen bei 200 Grad (Gas 3, Umluft 180 Grad) 35–45 Minuten garen.

4. Während der letzten 10 Minuten Backzeit den Speck in einer Pfanne kroß ausbraten.

5. Die Zwiebeln auf einer vorgewärmten Platte anrichten. Das Rauchbier mit dem Bratenfond mischen und über die Zwiebeln gießen. Den gebratenen Frühstücksspeck auf die Zwiebeln legen und servieren.

Dazu gibt es Kartoffelbrei (Stopfer), Sauerkraut und Rauchbier.

Zubereitungszeit: 1 Stunde
Pro Portion 18 g E, 51 g F, 19 g KH = 606 kcal (2530 kJ)

Nürnberger Gwärch

Für 4 Portionen:
100 g gekochtes Ochsenmaul
100 g schwarzer Preßsack
100 g weißer Preßsack
100 g Nürnberger Stadtwurst (ersatzweise Fleischwurst)
3 Zwiebeln, Salz
Zucker, weißer Pfeffer (a. d. Mühle)
3 El Essig, 3 El Öl

1. Gekochtes Ochsenmaul, schwarzen und weißen Preßsack und die Stadtwurst in feine Streifen schneiden und in eine Schüssel geben. Die Zwiebeln pellen, auch in Streifen schneiden, zur Wurst geben und gut durchmischen.

2. Salz und 1 Prise Zucker im Essig völlig auflösen, Pfeffer zugeben und mit dem Öl verrühren. Die Sauce über den Wurstsalat gießen und gut durchrühren.

3. Den Wurstsalat mit Klarsichtfolie zudecken und vor dem Servieren 2–3 Stunden im Kühlschrank durchziehen lassen.

Das Nürnberger Gwärch auf Salatblättern anrichten und mit Schwarzbrot und Butter servieren.

Zubereitungszeit: 30 Minuten (plus Kühlzeit)
Pro Portion 17 g E, 28 g F, 3 g KH = 327 kcal (1369 kJ)

Stimmt für ein freies Franken: der Journalist Heinzrolf Schmitt aus Nürnberg

14. SÜDTHÜRINGEN

Feines Linsensüppchen mit gebratenen Steinpilzen: Lafer hat das deftige Wintergericht aus dem Thüringer Wald in moderne Form gebracht

14. SÜDTHÜRINGEN

Feines Linsensüppchen mit gebratenen Steinpilzen

Zum Foto auf den Seiten 76/77

Für 4 Portionen:
200 g braune Linsen
30 g getrocknete Steinpilze
40 g Butter
50 g Schalottenwürfel
50 g Speckwürfel
Salz
50 ml Balsamessig
800 ml Geflügelfond (a. d. Glas)
4 frische Steinpilze (200 g)
1 El Butterschmalz
Pfeffer (a. d. Mühle)
1 Tl Majoranblättchen
150 ml Schlagsahne
1 El Crème fraîche
1 Tl gehackte Liebstöckelblätter

1. Die Linsen am Vortag in kaltem Wasser einweichen.

2. Die Linsen in ein Sieb schütten und gut abtropfen lassen. Die getrockneten Steinpilze in der Moulinette grob mahlen.

3. Die Butter in einem Topf erhitzen. Schalotten und Speck darin anbraten. Das Steinpilzmehl zugeben und kurz mitrösten. Die Linsen zugeben und leicht salzen. Den Balsamessig zugießen, kurz einkochen lassen und mit dem Geflügelfond aufgießen. Die Suppe zugedeckt bei milder Hitze etwa 30 Minuten leise kochen lassen.

4. Inzwischen die frischen Steinpilze putzen und in dicke Scheiben schneiden. Das Butterschmalz in einer Pfanne erhitzen. Die Pilze darin von beiden Seiten anbraten, mit Salz, Pfeffer und den Majoranblättchen würzen. Die Pilze auf einem Papiertuch abtropfen lassen.

5. 4 El Linsen mit einer Schaumkelle herausnehmen und als Einlage in 4 vorgewärmte Suppenteller legen. Die Suppe mit dem Schneidstab im Topf pürieren, dabei langsam die Sahne zugießen. Die Suppe mit Salz und Pfeffer abschmecken. Crème fraîche und Liebstöckel unterrühren.

Die Suppe auf die Linsen in den Suppentellern gießen, die gebratenen Steinpilze darauf anrichten und sofort servieren.

Zubereitungszeit: 1 Stunde (plus Einweichzeit)
Pro Portion 18 g E, 39 g F, 28 g KH = 530 kcal (2217 kJ)

Gefülltes Hutzelhuhn: mit einem Kloß als Innenleben

Gefülltes Hutzelhuhn

Zum Foto oben

Für 4 Portionen:
Hefeteig
10 g Hefe
1 Tl Zucker
35 ml lauwarme Milch
150 g Mehl, 1 Eigelb
Salz, 30 g flüssige Butter
60 g feingewürfelte Kurpflaumen
außerdem
1 Maispoularde (1,3–1,5 kg)
Salz
30 g Butterschmalz
100 g Möhrenwürfel
100 g Zwiebelwürfel
100 g Staudenselleriewürfel
2 Thymianzweige
1 Rosmarinzweig, 2 Lorbeerblätter
1 El grob zerdrückte Pfefferkörner
1 El zerdrückte Korianderkörner
100 ml Weißwein
600 ml Geflügelfond (a. d. Glas)
200 ml Schlagsahne, 40 g kalte Butter
1 El gehacktes Koriandergrün
Pfeffer (a. d. Mühle)

1. Für den Hefeteig die zerbröckelte Hefe und den Zucker in der Milch auflösen. Die Hefemilch mit 120 g Mehl, Eigelb, 1 Prise Salz und der Butter zu einem glatten Teig verkneten.

2. Die Teigkugel in einen hohen Topf legen und so viel kaltes Wasser zugießen, daß der Topf fast gefüllt ist. Wenn die Teigkugel nach etwa 15–20 Minuten oben schwimmt, ist der Teig ausreichend gegangen. Die Teigkugel aus dem Wasser nehmen und etwas trockentupfen. Den Teig mit dem restlichen Mehl verkneten. Zuletzt die Pflaumenwürfel unterarbeiten.

3. Die Poularde waschen, trockentupfen, innen und außen salzen. Die Poularde mit dem Hefeteig füllen. Die Öffnung mit Holzstäbchen verschließen und mit Küchengarn zubinden. Die Poularde mit Küchengarn in Form binden (erst die Flügel und dann die Beine).

4. Das Butterschmalz im Bräter erhitzen. Möhren, Zwiebeln und Staudensellerie darin kurz anbraten. Thymian, Rosmarin, Lorbeer, Pfeffer und Koriander kurz mitbraten. Die Poularde auf das Gemüse setzen. Den Weißwein und den Geflügelfond zugießen.

5. Die Poularde im vorgeheizten Backofen auf der 2. Leiste von unten bei 200 Grad (Gas 3, Umluft 180 Grad) 40–50 Minuten offen braten. Die Poularde dabei immer wieder mit dem Bratenfond begießen, damit sie eine schöne Kruste bekommt.

6. Die Poularde aus dem Bräter nehmen und zugedeckt beiseite stellen. Den Bratenfond durch ein Sieb in einen anderen Topf gießen und entfetten. Den Fond mit der Sahne aufgießen und um etwa ein Drittel einkochen lassen.

7. Inzwischen das Küchengarn von der Poularde lösen und die Holzstäbchen entfernen. Erst die Keulen abschneiden und dann die Brüste auslösen. Die Karkasse mit einer Geflügelschere rundherum durchschneiden, damit man sie abheben kann. Die Hefefüllung im Ganzen herausnehmen und in Scheiben schneiden.

8. Die kalte Butter in die Sauce geben und mit dem Schneidstab schaumig aufmixen. Die Sauce mit Salz, Pfeffer und Korianderkraut würzen.

Die Poulardenteile mit der Hutzelfüllung und der Sauce auf vorgewärmten Tellern anrichten und mit einem frischen Salat servieren.

Zubereitungszeit: 2 Stunden
Pro Portion 56 g E, 63 g F, 39 g KH = 955 kcal (3994 kJ)

Suhler Rahmkuchen

Für 20 Stücke:
Teig
300 g Mehl
30 g Hefe
1/8 l Milch
30 g Zucker
60 g Butter
Salz
Belag
1 1/2 l Milch
120 g Zucker
3 Pk. Vanillepuddingpulver
Mark aus 2 Vanilleschoten
1 Tl Zimtpulver
200 g Sultaninen
2 El Rum
Mehl zum Bearbeiten
Butter für das Blech
3 Eier (Gew.-Kl. 3)
3 El Zucker
2 Becher Schmand (à 125 g)

1. Das Mehl in eine Schüssel sieben und eine Mulde eindrücken. Die Hefe in der lauwarmen Milch auflösen, in die Mulde gießen und mit Zucker bestreuen. Etwas Mehl darüberstäuben. Den Vorteig zugedeckt an einem warmen Ort 30 Minuten gehen lassen.

2. Inzwischen die Butter zerlassen, wieder abkühlen lassen, mit 1 Prise Salz zum Vorteig geben und gut durchkneten. Den Hefeteig zugedeckt 30 Minuten gehen lassen.

3. Für den Belag aus Milch, Zucker, Puddingpulver, Vanillemark und Zimt einen Pudding kochen und etwas abkühlen lassen. Die Sultaninen heiß abspülen, abtropfen lassen und im Rum einweichen.

4. Den Teig auf der bemehlten Arbeitsfläche gut durchkneten, auf dem gefetteten Backblech ausrollen und 15 Minuten gehen lassen.

5. Den Pudding auf den Teig gießen und glattstreichen. Die Sultaninen darauf verteilen. Eier und Zucker verquirlen und den Schmand unterrühren. Den Eierguß auf die Sultaninen gießen.

6. Den Kuchen im vorgeheizten Backofen auf der 2. Leiste von unten bei 200 Grad (Gas 3, Umluft 30–35 Min. bei 180 Grad) insgesamt 45 Minuten backen. Nach 10 Minuten die Hitze auf 175 Grad (Gas 2, Umluft 150) reduzieren; den Kuchen nach der Hälfte der Backzeit eventuell mit Alufolie oder Backpapier bedecken.

Zubereitungszeit: 1 1/2 Stunden
(plus Zeit zum Gehen für den Teig)
Pro Stück 6 g E, 12 g F, 37 g KH = 286 kcal (1199 kJ)

Altenburger Braten

Für 6–8 Portionen:
je 1 Tl Basilikum, Thymian, Estragon, Bohnenkraut, Salz
1 kg Ochsenfleisch
50 g fetter Speck
1 große Zwiebel
1/2 Zitrone (unbehandelt)
1/4 l Rotwein
1 Tl frisch geriebener Meerrettich
Zucker

1. Am Vortag die Kräuter mit dem Salz mischen. Das Fleisch waschen, trockentupfen, mit dem Kräutersalz gründlich einreiben und kühl stellen. Das Fleisch über Nacht beizen.

2. Am nächsten Tag den Speck in dünne Streifen, die gepellte Zwiebel in Ringe schneiden. Den Speck auslassen, die Zwiebel darin glasig braten. Die Zitronenscheiben auf die Zwiebel legen, das Fleisch darauf setzen. 3–4 El Rotwein zugießen.

3. Den Topf schließen und im vorgeheizten Backofen auf der 2. Leiste von unten einsetzen. Das Fleisch bei 200 Grad (Gas 3, Umluft nicht empfehlenswert!) etwa 2 Stunden schmoren. Dabei öfter wenden und bei Bedarf etwas Rotwein zugießen.

4. Das Fleisch herausnehmen und warm stellen. Den Bratenfond durch ein Sieb in einen Topf gießen. Den restlichen Rotwein zugießen und den Meerrettich zugeben. Die Sauce 10 Minuten kräftig kochen lassen und mit 1 Prise Zucker abschmecken.

5. Das Fleisch in Scheiben schneiden, auf einer vorgewärmten Platte anrichten. Die Sauce extra reichen. Außerdem Klöße und Salat servieren.

Zubereitungszeit: 2 1/2 Stunden (plus Zeit zum Beizen)
Pro Portion (bei 8 Portionen)
26 g E, 11 g F, 1 g KH = 215 kcal (899 kJ)

Ilmenauer Präsidentenklöße

Dafür werden 1 kg kalte Pellkartoffeln gerieben, mit 200 g Kartoffelstärke bestäubt und gesalzen. Der Rieb wird mit der Hand locker aufgemischt und mit 1/4 l kochender Milch zu einer Kloßmasse verrührt. Beim Klößeformen gibt man in Butter geröstete Würfelchen von 1 Brötchen in die Mitte. Die Klöße ziehen in heißem Salzwasser (das einmal aufgekocht ist) ungefähr 20 Minuten, bis sie gar sind.

Mit Leib und Seele Thüringerin: Marieluise Schultze aus Suhl hat die Versuchsküche von »essen & trinken« über zwanzig Jahre lang geleitet

15. FRANKFURT/RHEIN

GAU

Der Rheingau bittet zum Dessert: weiße Zimtcreme mit gelierten Rotweinbirnen und Sektschaum. Assmannshäuser Spätburgunder und Rieslingsekt kommen zum Einsatz

15. FRANKFURT/RHEINGAU

Weiße Zimtcreme mit gelierten Rotweinbirnen und Sektschaum

Zum Foto auf den Seiten 80/81

Für 4 Portionen:
Zimtcreme
125 ml Milch, 125 ml Schlagsahne
100 g Zucker, 3 Zimtstangen
4 Eigelb (Gew.-Kl. 3)
5 Blatt weiße Gelatine
300 ml Schlagsahne
Rotweinbirnen
300 ml Rotwein
(Rheingauer Spätburgunder)
1 Zimtstange, 3 Gewürznelken
60 g Zucker
abgeriebene Schale von je 1/2 Orange und Zitrone (unbehandelt)
2 Birnen (400 g), 3 1/2 Blatt weiße Gelatine
Sektschaum
125 g Zucker, 5 Eigelb (Gew.-Kl. 3)
200 ml Sekt (Rheingauer Rieslingsekt)
3–4 El Zitronensaft

1. Für die Creme Milch, Sahne, Zucker und Zimtstangen in einem Topf aufkochen, vom Herd ziehen und 2 Stunden ziehen lassen.

2. Die Zimtmilch durch ein Sieb in einen Kessel gießen, mit dem Eigelb verrühren und über dem heißen Wasserbad cremig aufschlagen. Die Gelatine in kaltem Wasser einweichen, ausdrücken und in der warmen Creme auflösen. Die Creme im Kühlschrank leicht gelieren lassen.

3. Inzwischen die Sahne steif schlagen. Die Zimtcreme mit einem Schneebesen glattrühren, die Sahne unterheben, in eine Form (2 l) einfüllen, glattstreichen und kalt stellen.

4. Für die Birnen den Rotwein mit Zimt, Nelken, Zucker, Orangen- und Zitronenschale aufkochen und vom Herd ziehen.

5. Inzwischen die Birnen schälen, halbieren, entkernen und im Rotweinsud noch bißfest pochieren. Die Birnen mit dem Sud in ein Sieb gießen und den Sud dabei auffangen. Die Gelatine in kaltem Wasser einweichen, ausdrücken und im warmen Rotweinsud auflösen. Das Rotweingelee zum Festwerden auf Eis stellen.

6. Die abgetropften Birnenhälften fächerförmig aufschneiden und etwas flachdrücken. Die Birnenfächer auf die angestockte Zimtcreme legen. Das dickflüssige Rotweingelee einmal durchrühren und auf die Birnen gießen. Die Creme mit Folie zudecken und 2 Stunden kalt stellen.

7. Für den Sektschaum Zucker, Eigelb, Sekt und Zitronensaft über dem heißen Wasserbad cremig aufschlagen.

Die Zimtcreme zum Sektschaum servieren.

Zubereitungszeit: 1 1/2 Stunden (plus Kühlzeiten)
Pro Portion 17 g E, 51 g F, 89 g KH = 944 kcal (3957 kJ)

Rinderfilet in Rieslingsauce mit Porreegemüse: zeitgemäß frisch

Rinderfilet in Rieslingsauce

Zum Foto oben

Für 4 Portionen:
4 Rinderfilets (à 180–200 g)
Salz, weißer Pfeffer (a. d. Mühle)
2 El Mehl
20 g Butterschmalz
150 g kleingewürfeltes Röstgemüse (Sellerie, Möhren, Zwiebeln)
5 Wacholderbeeren
2 Gewürznelken
fein abgeriebene Schale von 1/4 Zitrone (unbehandelt)
1 Tl Honig, 1–2 El milder Senf
250 ml Weißwein
350 ml Fleischbrühe, 40 g Butter

1. Die Rinderfilets von beiden Seiten salzen, pfeffern und in Mehl wenden. Das Butterschmalz in einer Pfanne erhitzen, die Filets von beiden Seiten darin anbraten. Das Fleisch aus der Pfanne nehmen und auf einen Teller legen.

2. Das Röstgemüse in der Pfanne anbraten. Wacholder, Nelken, Zitronenschale und Honig zugeben, leicht karamelisieren lassen und mit Senf würzen. Den Weißwein und die Fleischbrühe zugießen, aufkochen und um etwa ein Drittel einkochen lassen. Das Fleisch auf das Gemüse legen und zugedeckt bei milder Hitze 8–10 Minuten garen.

3. Das Fleisch aus der Pfanne nehmen, auf eine Platte legen, mit Alufolie abdecken und bis zum Servieren ruhenlassen.

4. Den Bratenfond durch ein Sieb in einen Topf umfüllen, dabei das Gemüse durch das Sieb drücken. Den Fond mit Salz und Pfeffer würzen, noch einmal aufkochen lassen und vom Herd ziehen. Die kalte Butter mit dem Mixstab unterarbeiten.

Das Fleisch auf vorgewärmten Tellern anrichten und mit der Sauce servieren.

Ein Porreegemüse dazureichen.

Zubereitungszeit: 40 Minuten
Pro Portion 40 g E, 21 g F, 9 g KH = 405 kcal (1698 kJ)

'üche, wie sie Spaß macht

Porreegemüse

Zum Foto oben

Für 4 Portionen:
2 Tomaten (200–250 g)
2 Porreestangen
40 g Butter
Salz, Pfeffer (a. d. Mühle)

1. Die Tomaten in kochendem Wasser blanchieren und in Eiswasser abschrecken. Die Tomaten pellen, vierteln, entkernen und würfeln.

2. Die Porreestangen putzen, waschen und abtropfen lassen. Nur die hellen, zarten Teile in feine Streifen schneiden.

3. Die Butter in einer Pfanne erhitzen und den Porree darin glasig andünsten. Den Porree zugedeckt etwa 5 Minuten bei milder Hitze weich dünsten, mit Salz und Pfeffer würzen. Zum Schluß die Tomatenwürfel unterrühren, nur kurz erwärmen und zum Rinderfilet servieren.

Zubereitungszeit: 30 Minuten
Pro Portion 2 g E, 9 g F, 3 g KH = 97 kcal (407 kJ)

Rippchen mit Kraut

Für 4 Portionen:
1 El Schweineschmalz
2 Zwiebeln
750 g Sauerkraut
2 Lorbeerblätter
3 Wacholderbeeren
1 Apfel
1 Tasse Weißwein (oder Sekt)
750 g gepökelte Rippchen (in 4 Scheiben)
1 Gewürznelke

1. Schweineschmalz in einem Topf heiß werden lassen, 1 gewürfelte Zwiebel darin glasig braten. Das Kraut etwas zerpflücken und auf die Zwiebel geben. 1 Lorbeerblatt und die Wacholderbeeren zugeben. Den Apfel vierteln, entkernen, in Scheiben schneiden und unter das Kraut mischen. Alles kurz anschmoren, den Wein zugießen. Das Kraut zugedeckt bei milder Hitze 30–40 Minuten garen.

2. Die restliche Zwiebel mit dem restlichen Lorbeerblatt und der Nelke spicken und mit dem Fleisch in einen Topf geben. So viel Wasser zugießen, daß das Fleisch eben bedeckt ist, aufkochen und bei milder Hitze 20 Minuten ziehen lassen. Das Fleisch abgetropft und heiß oder kalt zum Kraut servieren.

Als Beilage paßt Kartoffelpüree oder herzhaftes Landbrot.

Zubereitungszeit: 45 Minuten
Pro Portion 20 g E, 17 g F, 9 g KH = 291 kcal (1213 kJ)

Lafers Tip: Rippchen kochen

Frankfurter Rippchen sind kein Kasseler. Kasseler ist gepökelt und geräuchert. Die Rippchen sind nur gepökelt. Rippchen vom Hals sind durchwachsen, Rippchen von der Lende dagegen weniger fett. Der echte Frankfurter macht seine Rippchen so: Wasser erhitzen, 1 mit Lorbeerblatt und Nelke gespickte Zwiebel hineingeben und 1 Bund geputztes, grob zerkleinertes Suppengrün. Das gepökelte rohe Rippenstück (pro Person rechnet man 250 g) wird am Rückenknochen mit einem Beil (Metzger) oder mit einem großen Küchenmesser leicht eingehackt. Das Rippchenstück wird in die Brühe gelegt und darin nur 4–5 Minuten gekocht, dann läßt man es auf ganz kleiner Hitze 15 Minuten ziehen und danach bei abgeschalteter Hitze im Sud noch 1 Stunde abkühlen. Nur so werden die Rippchen saftig! Der Frankfurter ißt sie kalt.

Frankfurter Linsensuppe

Für 6–8 Portionen:
500 g Linsen, 2 l Fleischbrühe
250 g Möhren, 250 g Sellerie
1 Petersilienwurzel
100 g Dörrfleisch
(oder durchwachsener Speck)
2 Zwiebeln, 2 kleine Porreestangen
1 Bund Petersilie, 2–3 El Weißweinessig
Salz, Pfeffer (a. d. Mühle)
6–8 Frankfurter Würstchen

1. Die Linsen über Nacht in Wasser einweichen. Am nächsten Tag das Einweichwasser abgießen. Die Linsen in der Fleischbrühe 1 Stunde bei milder Hitze leise kochen lassen.

2. Möhren, Sellerie und Petersilienwurzel putzen und fein würfeln, zu den Linsen geben und weitere 30 Minuten leise kochen.

3. Inzwischen das Dörrfleisch, die Zwiebeln und den Porree fein würfeln. Die Petersilie fein hacken.

4. Das Dörrfleisch in einer Pfanne auslassen, das Gemüse darin unter ständigem Rühren anrösten. Zum Schluß die Petersilie unterrühren.

5. Das Dörrfleischgemüse in die Linsen rühren. Mit Essig würzen, salzen und pfeffern. Die Würstchen in Scheiben schneiden, in die Suppe geben und servieren.

Zubereitungszeit: 1 3/4 Stunden (plus Zeit zum Einweichen)
Pro Portion (bei 8 Portionen)
30 g E, 33 g F, 35 g KH = 555 kcal (2321 kJ)

Frankfurter Würstchen

Wann genau sie in Frankfurt am Main das erste Mal in den Topf gelegt wurden, ist nicht präzise überliefert. Doch schon bei der Krönung Kaiser Maximilians II., anno 1562, steckten sie als Füllsel im Ochsen, der vor dem Römer am Spieße hing, um das Volk zu speisen. Daher auch der Name „Krönungswürstchen". Zum Ende des 19. Jahrhunderts hießen sie „Bratwerscht" oder „gederrte Bratwerscht". „Frankfurter" wurden sie erst, als Reisende sie mit in alle Welt nahmen. 1860 wurden sie zum ersten Mal außerhalb des „Worschtquartiers" (im Bezirk zwischen Dom und Römerberg waren alle Frankfurter Metzger tätig – mehr als 150 Ochsen-, Schweine- und Hammelmetzger allein um 1850) industriell gefertigt, und zwar in Neu-Isenburg bei Frankfurt.

Soweit die Geschichte, nun zum Inhalt: Die schlanken, zierlichen Würstchen mit der goldbraunen Haut bestehen aus dem besten mageren Schinkenfleisch. Das Aroma wird durch ein spezielles Räucherverfahren erreicht. Ihr Tod ist es, sie zu kochen. Sie dürfen nur in heißem Wasser ziehen – allerhöchstens 8 Minuten. Danach legt man sie auf vorgewärmte Teller (kalte machen das Aroma kaputt) und reicht Brot, Senf und/oder Meerrettich dazu. Man darf sie aus der Hand essen.

Gänsekeulen auf Linsen

Für 8 Portionen:
750 g Linsen
1 Flasche Spätburgunder (0,75 l)
4 Gänsekeulen (etwa 1,8 kg)
Salz, Pfeffer (a. d. Mühle)
400 g Möhren
4 Petersilienwurzeln
1 kg Porree
Zucker
1 Bund Thymian
80 g Rosinen
1/2 l kräftige Fleischbrühe (selbstgekocht oder Rinderfond aus dem Glas)

1. Die Linsen am Vortag in 1/2 l Spätburgunder und 3/4 l Wasser einweichen.

2. Das Fett von den Gänsekeulen abschneiden und hacken. Die Gänsekeulen mit Salz und Pfeffer einreiben. Das Fett in einem schweren Schmortopf auslassen, die Keulen darin von jeder Seite langsam goldbraun anbraten.

3. Inzwischen Möhren und Petersilienwurzeln schälen, waschen und schräg in Scheiben schneiden. Den Porree putzen, waschen und in Scheiben schneiden.

4. Die Gänsekeulen aus dem Bräter nehmen. Die Möhren und Petersilienwurzeln rundherum kräftig anbraten, mit Salz, Pfeffer und 1 Prise Zucker würzen. Die Linsen mit der Einweichflüssigkeit zugeben. Die Gänsekeulen zwischen das Gemüse legen und insgesamt 1 1/2 Stunden zugedeckt schmoren lassen.

5. Inzwischen die Thymianblättchen von den Stielen zupfen. Die Gänsekeulen nach 45 Minuten wenden. Porree, Thymian und Rosinen zugeben. Nach und nach die Fleischbrühe, zum Schluß den restlichen Spätburgunder zugießen.

Die Gänsekeulen mit den Linsen auf einer großen Platte anrichten.

Dazu passen rohe Kartoffelklöße.

Zubereitungszeit: 2 1/4 Stunden (plus Zeit zum Einweichen)
Pro Portion 48 g E, 46 g F, 61 g KH = 957 kcal (4001 kJ)

Gaulskniddel (Kartoffelplätzchen)

Für 18 Stück:
200 ml Milch
2 Brötchen
150 g mittelalter Gouda
400 g Kartoffeln (mehligkochend)
1 Ei (Gew.-Kl. 2)
1 Eigelb (Gew.-Kl. 2)
Salz, Pfeffer (a. d. Mühle)
frisch geriebene Muskatnuß
75 g Frühstücksspeck
1/2 Bund Thymian

1. Die Milch erwärmen. Die Brötchen würfeln und mit der Milch übergießen. Den Käse fein reiben, beides mischen.

2. Die Kartoffeln waschen, gar kochen, pellen und noch heiß durch eine Kartoffelpresse in die Schüssel drücken.

3. Alle Zutaten mischen und mit Ei und Eigelb verkneten, mit Salz, Pfeffer und Muskat würzen. Ein Backblech mit Backpapier auslegen. Mit 2 Eßlöffeln Teighäufchen auf das Backblech setzen und leicht auseinanderdrücken.

4. Den Frühstücksspeck in schmale Streifen schneiden. Die Thymianblätter von den Stielen zupfen. Beides auf den Kartoffelplätzchen verteilen. Die Kartoffelplätzchen im vorgeheizten Ofen auf der 2. Leiste von oben bei 200 Grad (Gas 3, Umluft nicht geeignet) etwa 30 Minuten backen.

Die Plätzchen sollen goldbraun sein. Eventuell 1 Minute übergrillen. Leicht abkühlen lassen und zu den Gänsekeulen servieren.

Zubereitungszeit: 1 Stunde
Pro Stück 4 g E, 6 g F, 6 g KH = 99 kcal (416 kJ)

Gekochte Rinderbrust

Für 6 Portionen:
1 kg Rinderbrust
500 g Suppenknochen
2 Möhren, 1 Petersilienwurzel
1 Porreestange, 1 Lorbeerblatt
1/2 Bund glatte Petersilie
1 Majoranzweig
1 Zwiebel (mit 1 Gewürznelke gespickt)
4 Stangen Staudensellerie
1 Stück Zitronenschale (unbehandelt)
2 Pimentkörner
10 Pfefferkörner, Salz

1. Das Fleisch und die Knochen waschen. Die Gemüse putzen und grob würfeln. Alle Zutaten mit den Gewürzen in 2 l Salzwasser zum Kochen bringen. Die Hitze zurückschalten. Das Fleisch zugedeckt 2 1/2Stunden langsam garen. Zwischendurch immer wieder abschäumen.

2. Das Fleisch aus der Brühe nehmen, etwas abkühlen lassen, quer zur Faser in Scheiben schneiden, in tiefen Tellern anrichten und mit etwas heißer Brühe begießen.

Eine Frankfurter grüne Sauce und junge Kartoffeln dazureichen.

Zubereitungszeit: 3 Stunden
Pro Portion 30 g E, 36 g F, 1 g KH = 447 kcal (1867 kJ)

Frankfurter grüne Sauce

Für 6–8 Portionen:
10 hartgekochte Eier
2 El Essig, 1/4 l Öl
Salz, Zucker
10 El gehackte Kräuter: Dill, Petersilie, Kerbel, Borretsch, Estragon, Pimpinelle, Liebstöckel, Sauerampfer, evtl. Zitronenmelisse und Spinat

1. Die hartgekochten Eier trennen. Das Eigelb durch ein Sieb in eine Schüssel streichen, mit Essig und Öl verrühren, mit etwas Salz und etwas Zucker abschmecken.

2. Das Eiweiß fein hacken und in die Schüssel geben. Jetzt die Kräuter zufügen und alles zu einem dünnen Brei verrühren.

Zubereitungszeit: 30 Minuten
Pro Portion (bei 8 Portionen)
10 g E, 33 g F, 2 g KH = 342 kcal (1432 kJ)

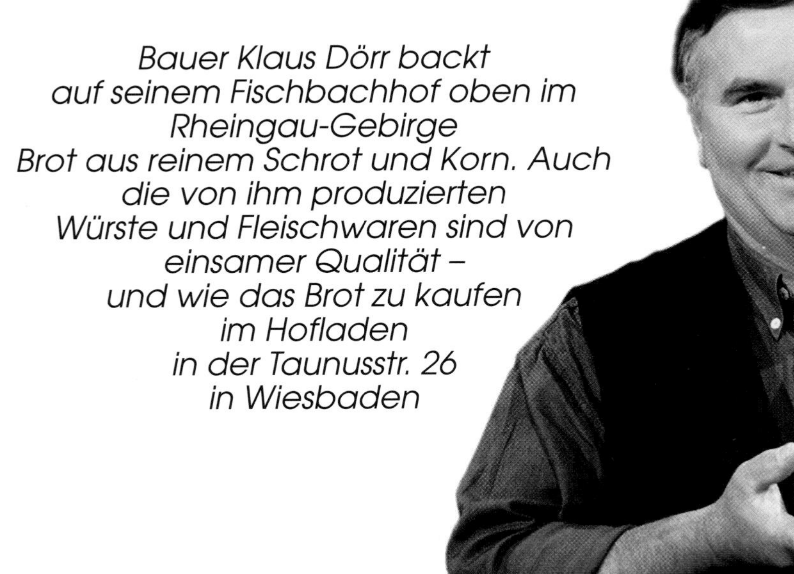

Bauer Klaus Dörr backt auf seinem Fischbachhof oben im Rheingau-Gebirge Brot aus reinem Schrot und Korn. Auch die von ihm produzierten Würste und Fleischwaren sind von einsamer Qualität – und wie das Brot zu kaufen im Hofladen in der Taunusstr. 26 in Wiesbaden

Rheingauer Weinäpfel

Für 4 Portionen:
1/2 l Milch
3 Eigelb
10 g Speisestärke
1/2 Vanillestange
100 g Zucker
4 große Äpfel
4 Walnüsse (oder Haselnüsse)
4 Tl Sultaninen
2 Tl Zucker
Zimtpulver
1 Tl Butter
1/2 l Rheingauer Riesling

1. 4 El Milch mit dem Eigelb und der Speisestärke verrühren. Die halbe Vanillestange in der restlichen heißen Milch ziehen lassen, herausnehmen und den Zucker in der heißen Milch auflösen. Die angerührte Speisestärke zugeben und unter ständigem Rühren zum Kochen bringen. Abkühlen lassen.

2. Die Äpfel schälen und die Kerngehäuse ausstechen. Die Nüsse fein hacken, mit den Sultaninen, Zucker, Zimt und Butter mischen. Die Mischung in die ausgehöhlten Äpfel füllen.

3. Die Äpfel in eine feuerfeste Form setzen, mit dem Wein übergießen. Die Äpfel im Backofen bei 175 Grad (Gas 2, Umluft 30 Minuten bei 160 Grad) etwa 20–30 Minuten offen garen.

Die Äpfel in der Form servieren und die kalte Vanillesauce dazureichen.

Zubereitungszeit: 1 Stunde
Pro Portion 9 g E, 16 g F, 67 g KH = 496 kcal (2077 kJ)

Bethmännchen

Für 20–25 Stück:
200 g Marzipanrohmasse
20 g Zucker
1/2–1 El Rosenwasser (aus der Apotheke)
50 g Mandeln
1 Eiweiß

1. Die Marzipanrohmasse mit 10–15 g Zukker und etwas Rosenwasser gut durchkneten, etwa 2 cm dick ausrollen und in gleichmäßige Würfel teilen. Aus den Würfeln kleine, kegelförmige Häufchen formen.

2. Je 3 abgezogene, längs halbierte und noch feuchte Mandelhälften mit der Spitze nach oben an einen Marzipankegel drücken und über Nacht trocknen lassen.

3. Das Eiweiß mit dem restlichen Zucker verrühren und die Bethmännchen damit bepinseln.

4. Die Bethmännchen auf ein mit Backpapier ausgelegtes Backblech setzen und auf der obersten Leiste im vorgeheizten Backofen bei 100 Grad (Gas 1, Umluft 25–30 Minuten bei 100 Grad) etwa 35 Minuten backen, bis die Spitzen hellbraun sind.

Zubereitungszeit: 1 Stunde (plus Zeit zum Trocknen)
Pro Stück (bei 25 Stück) 2 g E, 4 g F, 5 g KH = 65 kcal (272 kJ)

E&T: Damit die Bethmännchen nicht zu viel Unterhitze bekommen und von unten verbrennen, sollten Sie ein leeres Backblech direkt unter dem Blech einschieben, auf dem gebacken wird.

Süße Frankfurter

Die Bethmännchen sind die süße Top-Spezialität Frankfurts (neben dem Frankfurter Kranz natürlich). Früher gab es sie nur zu Weihnachten, heute darf man sie das ganze Jahr über essen (wenn das Marzipan frisch ist!). Über ihre Herkunft wird gestritten. Die eine Bethmännchen-Partei führt das Marzipangebäck auf die Frankfurter Bankiersfamilie Bethmann zurück: Ursprünglich habe der Koch der Familie die Marzipanhäufchen mit vier Mandelblättchen versehen – für jeden Sohn der Familie eins. Als aber ein Sohn starb, sei die Zahl der Mandeln auf drei verringert worden. Die andere Bethmännchen-Partei ist dagegen der festen Überzeugung, die Mandeln sähen aus wie zum Gebet gefaltete Hände.

Frankfurt trifft den Rheingau: Das Büffet ist üppig gedeckt. Von kernig und urwüchsig bis edel und fein – für jede Art von Hunger und Durst ist aufs beste gesorgt

16. NIEDERSACHSEN

Mit saftigen Äpfeln aus dem Alten Land und würzigem Honig aus der Lüneburger Heide: Apfelkuchen mit Honigkruste und weißer Schokoladensauce

Apfelkuchen mit Honigkruste

Zum Foto auf den Seiten 86/87

Für 8–12 Stücke:
300 g zimmerwarme Butter
Salz
abgeriebene Schale von 1/2 Zitrone (unbehandelt)
1 Pk. Vanillezucker
120 g Honig
6 Eier (Gew.-Kl. 3)
1 Tl Backpulver
60 g Speisestärke
300 g Mehl
1/2 Tl frisch gemahlenes Ingwerpulver
Butter und Semmelbrösel für die Form
Belag
600 g Äpfel
3–4 El Honig
1 El Apfelgelee
1 El Butter
20 ml Apfelschnaps

1. Für den Teig die Butter mit 1 Prise Salz, Zitronenschale, Vanillezucker und dem Honig mit dem Schneebesen des Handrührers cremig aufschlagen. Nach und nach die Eier einrühren. Backpulver, Speisestärke, Mehl und Ingwer zugeben und gut unterrühren.

2. Eine Springform (28 cm Ø) ausbuttern und mit Semmelbröseln ausstreuen. Den Teig einfüllen und glattstreichen.

3. Die Äpfel schälen, vierteln, entkernen und auf der ovalen Seite der Länge nach mit einem spitzen Messer je dreimal einkerben. 2 El Honig in einer Pfanne erwärmen und die Apfelviertel darin glasieren. Die Äpfel etwas auskühlen lassen und mit einem Löffel kreisförmig auf dem Teig verteilen.

4. Den Kuchen im vorgeheizten Backofen auf der 2. Leiste von unten bei 175 Grad (Gas 2, Umluft 40 Minuten bei 160 Grad) etwa 45 Minuten backen.

5. In der Zwischenzeit für die Glasur Apfelgelee, Butter und den restlichen Honig in einer Pfanne schmelzen, vom Herd nehmen, etwas auskühlen lassen. Mit dem Apfelschnaps würzen.

6. Die Glasur gleichmäßig auf den Kuchen streichen und unter dem Backofengrill 3–4 Minuten überkrusten.

7. Den Kuchen aus der Form nehmen und abkühlen lassen. Zum Apfelkuchen mit Honigkruste eine weiße Schokoladensauce servieren.

Zubereitungszeit: 1 1/2 Stunden
Pro Stück (bei 12 Stücken)
7 g E, 27 g F, 43 g KH = 445 kcal (1862 kJ)

Weiße Schokoladensauce

Zum Foto auf den Seiten 86/87

Für 8–12 Portionen:
20 g Zucker
40 g Mandelblättchen
250 ml Schlagsahne
100 g weiße Schokolade
2–3 El Mandellikör

1. Zucker in einem kleinen Topf hellbraun karamelisieren. Die Mandeln zugeben und kurz darin bräunen. Mit der Sahne auffüllen und um etwa ein Drittel einkochen lassen, bis sich der Zucker gelöst hat.

2. Inzwischen die Schokolade fein raspeln, in die Sauce geben und darin auflösen. Die Sauce vom Herd nehmen und etwas abkühlen lassen, dann erst mit dem Mandellikör würzen.

Die Schokoladensauce lauwarm zum Apfelkuchen servieren.

Zubereitungszeit: 25 Minuten
Pro Portion (bei 12 Portionen)
2 g E, 11 g F, 6 g KH = 131 kcal (549 kJ)

Rehgulasch mit Preiselbeersauce

Zum Foto rechts

Für 4 Portionen:
1 Rehschulter (1,3 kg)
10 Wacholderbeeren, 10 Pfefferkörner
2 Thymianzweige, 1 Rosmarinzweig
1/2 l Rotwein
Salz, Pfeffer (a. d. Mühle)
50 g Butterschmalz
100 g Porreestücke
150 g Möhrenscheiben
150 g rote Zwiebelwürfel
150 g Selleriewürfel
Schale von 1/2 Orange (unbehandelt)
1 Tl Senf, 1/2 l Wildfond (a. d. Glas)
1 Tl Speisestärke
2 El geschlagene Sahne
3 El Preiselbeeren

1. Die Rehschulter parieren (Haut und Sehnen entfernen) und in gulaschgroße Würfel schneiden. Die Wacholderbeeren grob zerdrücken. Das Fleisch mit Wacholder, Pfeffer, Thymian, Rosmarin und Rotwein in einen Gefrierbeutel geben, fest verschließen und 24 Stunden marinieren.

2. Das Fleisch aus dem Gefrierbeutel in ein Sieb gießen und die Marinade dabei auffangen. Das Fleisch trockentupfen, mit Salz und Pfeffer würzen.

3. Das Butterschmalz in einem Topf erhitzen. Das Fleisch darin portionsweise mit dem Gemüse und den Gewürzen aus der Marinade anbraten. Das gesamte Fleisch in den Topf geben, mit Orangenschale und Senf würzen. Wenig Marinade zugießen. Das Gulasch halb zugedeckt etwa 1 1/2 Stunden bei milder Hitze schmoren, dabei immer wieder etwas Marinade zugießen und einkochen lassen (zum Schluß muß die Marinade aufgebraucht sein). Den Wildfond zugießen und in weiteren 30 Minuten auf etwa die Hälfte einkochen lassen.

4. Die Fleischstücke mit einer Schaumkelle aus dem Topf in eine Schüssel geben.

5. Den Schmorfond durch ein Sieb in einen anderen Topf gießen, mit Salz und Pfeffer abschmecken. Die Stärke mit etwas Wasser verrühren, die Sauce damit binden. Die Fleischstücke in die Sauce geben und einmal gut durchkochen lassen. Die geschlagene Sahne unterheben. Zum Schluß die Preiselbeeren einrühren.

Das Rehgulasch mit den Blini servieren.

Zubereitungszeit: 2 1/2 Stunden (plus Marinierzeit)
Pro Portion 61 g E, 39 g F, 7 g KH = 664 kcal (2782 kJ)

Zum Rehgulasch mit Preiselbee

auce serviert Johann Lafer herzhafte kleine Birnen-Blini aus Buchweizenteig

Birnen-Blini

Zum Foto oben

Für 4 Portionen (20 Stück):
60 g Buchweizenkörner
3 Tl Zucker
Salz
70 ml lauwarme Milch
7 g Hefe
35 g Buchweizenmehl
50 g Weizenmehl
2 Eigelb (Gew.-Kl. 3)
1 Birne (200 g)
1 El gehackter Liebstöckel
Pfeffer (a. d. Mühle)
2 Eiweiß (Gew.-Kl. 3)
60 g Butterschmalz zum Ausbacken

1. Die Buchweizenkörner erst heiß und dann kalt waschen, mit 2 Tl Zucker in Wasser einmal aufkochen und durch ein Sieb abgießen. Die Buchweizenkörner jetzt in Salzwasser aufkochen, vom Herd ziehen, 15 Minuten ausquellen und danach in einem Sieb gut abtropfen lassen.

2. Die Milch mit dem restlichen Zucker verrühren. Die Hefe hineinbröckeln und unter Rühren auflösen. Buchweizen- und Weizenmehl in eine Schüssel geben. Die Hefemilch zugießen und verrühren. Das Eigelb unterrühren. Die Buchweizenkörner zugeben und unterrühren.

3. Die Birne schälen, entkernen, fein würfeln und sofort in den Teig rühren. Den Teig mit Liebstöckel, Salz und Pfeffer würzen. Das Eiweiß mit etwas Salz steif schlagen und unter den Teig heben. Den Teig zugedeckt an einem warmen Ort 30 Minuten gehen lassen.

4. Das Butterschmalz in einer Pfanne erhitzen. Den Teig portionsweise mit einem Eßlöffel in die Pfanne geben und kleine runde Blini formen. Die Blini in 3–4 Minuten von beiden Seiten goldgelb backen. Die Blini aus der Pfanne nehmen, auf einem Küchentuch abtropfen lassen und im Backofen warm halten, bis alle fertig gebacken sind.

Die Birnen-Blini zum Rehgulasch servieren.

Zubereitungszeit: 45 Minuten (plus Ruhezeit für den Teig)
Pro Stück 2 g E, 4 g F, 8 g KH = 73 kcal (306 kJ)

Klares Graupensüppchen mit Zanderklößen

Für 4 Portionen:
500 g Edelfischgräten (keine Fischköpfe)
2 Möhren, 1 kleine Fenchelknolle
1 kleine Porreestange
1 Lorbeerblatt, 8 weiße Pfefferkörner
3 Wacholderbeeren
1/2 Bund glatte Petersilie
30 g Perlgraupen
80 g Räucheraal mit Haut
120 g gut gekühltes Zanderfilet
100 ml eiskalte Schlagsahne
Salz, weißer Pfeffer (a. d. Mühle)
1 Sträußchen Kerbel

1. Für den Fischfond die Gräten abspülen und zerkleinern. 1 Möhre und 1 Stück Fenchelknolle beiseite legen. Restliche Möhre und Fenchel und den Porree grob zerteilen.

2. Fischgräten mit 1 l Wasser, Lorbeer, Pfefferkörnern und Wacholderbeeren, zerteiltem Gemüse und Petersilie in einen Topf geben und das Wasser einmal aufkochen lassen. Den Topf zur Seite ziehen. Den Fond 10–15 Minuten ziehen lassen, durch ein Mulltuch in einen anderen Topf gießen und bei starker Hitze auf 3/4 l einkochen.

3. Inzwischen die Graupen in 1/4 l Wasser 10–12 Minuten garen, in ein Sieb schütten und mit kaltem Wasser abspülen. Die beiseitegelegten Gemüse (Möhre und Fenchel) in dünne Streifen schneiden.

4. Aal von Haut und Gräten lösen. Die Haut beiseite legen. Das Zanderfilet würfeln.

5. Aal und Zander mit dem Pürierstab (Handrührer) oder im Mixer fein pürieren, dabei nach und nach die eiskalte Schlagsahne zugeben. Die Farce mit Salz und Pfeffer abschmecken und durch ein feines Sieb streichen. Die Farce kalt stellen.

6. Den Fischfond erhitzen und mit Salz abschmecken. Die Aalhaut 3–4 Minuten in den kochenden Fond geben, damit sie ihren Rauchgeschmack abgibt.

7. 1/8 l Fischfond abnehmen, in einem kleinen Topf erhitzen, die Gemüsestreifen darin kurz blanchieren. Die Gemüsestreifen in ein Sieb schütten, den Fond auffangen und zurück zum Fischfond geben. Die Suppenteller warm stellen. In einem breiten Topf Salzwasser aufkochen.

8. Mit 2 Teelöffeln (immer wieder in kaltes Wasser tauchen) aus der Fischfarce 15–20 kleine Klößchen abstechen und im Salzwasser 5–6 Minuten sieden lassen.

9. Klößchen, Gemüsestreifen und Graupen auf die vorgewärmten Teller verteilen, mit dem heißen Fischfond auffüllen, mit Kerbelblättchen garnieren und servieren.

Zum klaren Graupensüppchen mit Zanderklößen derbes Graubrot reichen.

Zubereitungszeit: 1 1/4 Stunden
Pro Portion 12 g E, 14 g F, 7 g KH = 207 kcal (866 kJ)

Braunschweiger Spargelessen

Die alte Welfenstadt Braunschweig liegt inmitten einer berühmten Spargellandschaft, weshalb denn auch die beste Sorte „Ruhm von Braunschweig" heißt. Der Braunschweiger Spargel ist besonders zart und weiß und an seinen geschlossenen Köpfen gut zu erkennen. In Braunschweig wird er „geschlürft", dazu gibt es zarten, hauchdünn geschnittenen Schinken und heiße braune Butter.

Getrüffelte Rehterrine mit Madeira-Gelee

Für 12–15 Scheiben:
2 El schwarze Pfefferkörner
2 El Pimentkörner
1 El Wacholderbeeren
700 g schieres Fleisch aus der Rehkeule
1 El Cognac
250 ml Madeira
4 El Haselnußöl
Salz
75 g eingelegte schwarze Trüffel (a. d. Glas/Dose)
300 g frischer Speck (in dünnen Scheiben)
450 ml Schlagsahne
325 g schieres Rehrückenfilet
50 g Haselnußkerne
70 g Pistazienkerne
5 Blatt weiße Gelatine
Eiswürfel

1. Pfeffer, Piment und Wacholder in der Moulinette sehr fein zerkleinern. Rehkeulenfleisch durch die feine Scheibe des Fleischwolfs drehen. Mit der Gewürzmischung, Cognac, 2 El Madeira, Haselnußöl und Salz gründlich mischen. Das Rehhack auf einem kleinen Backblech flach ausbreiten und zugedeckt mindestens 6 Stunden kalt stellen.

2. Trüffel in einem Sieb abtropfen lassen, Saft aufbewahren, Trüffel fein würfeln. Eine rechteckige Terrinenform mit Deckel (1,2 l Inhalt) gleichmäßig mit Speck so auslegen, daß er an den Seiten überlappt.

3. Rehhack, Sahne, Schneidmesser und Aufsatz der Küchenmaschine 20–30 Minuten ins Gefrierfach stellen. Dann das Hack in der Küchenmaschine fein pürieren. Sahne nach und nach dazugießen, bis eine feine, glatte Farce entsteht. Die Farce in eine kleinere Schüssel füllen, in eine größere, mit Eiswürfeln gefüllte Schüssel setzen und 30 Minuten kalt stellen.

4. Farce mit einem Teigschaber gründlich durch ein Holzrahmensieb streichen und erneut 30 Minuten auf Eis kalt stellen.

5. Filet auf die Länge der Terrinenform zuschneiden und mit einem scharfen Messer längs einschneiden, bis es sich zu 2 gleich großen Stücken auseinanderklappen läßt. Dann zwischen 2 Gefrierbeuteln mit einem Plattierer gleichmäßig 1/2 cm dünn flachklopfen.

6. 180 g Rehfarce abwiegen, die Trüffelwürfel mit einem Holzlöffel gleichmäßig damit vermengen. Die Farce mit einer Palette auf dem Rehrücken glatt verstreichen, dabei an einer Längsseite 1 cm Rand frei lassen. Den Rehrücken mit Hilfe des unteren Gefrierbeutels von der Längsseite mit freiem Rand her zu einer straffen Roulade aufrollen.

7. Mit einem Holzlöffel die restliche Farce, ganze Nüsse und Pistazien gleichmäßig vermengen, in einen Spritzbeutel ohne Lochtülle füllen, 2 cm hoch in die Terrinenform spritzen und mit einer Winkelpalette glattstreichen. Die Rehroulade auf die Mitte legen und die Farce an den Seiten entlang gleichmäßig zwischen Roulade und Gefäßrand spritzen und glattstreichen, damit keine Hohlräume entstehen. Die restliche Farce darauf verteilen, glattstreichen und den Speck darüber zusammenklappen. Die Form verschließen.

8. Den Backofen auf 150 Grad vorheizen (Gas 1, Umluft 110–120 Grad). Einen Bräter 4 cm hoch mit heißem Wasser füllen und auf die 2. Einschubleiste von unten stellen. Sobald die Wassertemperatur 80 Grad erreicht hat (mit einem Thermometer kontrollieren), die Terrine hineinstellen und 50 Minuten pochieren.

9. Die Terrine in der Form kalt werden lassen, dann so lange in heißes Wasser tauchen, bis sie sich stürzen läßt. Die gesäuberte Form mit einem überlappenden Stück Backpapier glatt auslegen. Die obere Speckschicht bis zu den Seiten abschneiden, die Terrinenoberfläche gegebenenfalls mit einem scharfen Messer glattschneiden. Die Terrine in die Form setzen.

10. Gelatine in kaltem Wasser einweichen. Trüffelsaft und restlichen Madeira erhitzen. Gelatine gut ausdrücken, darin auflösen und lauwarm auf die Rehterrine gießen. Die Terrine 6 Stunden kalt stellen.

11. Die Terrine zum Servieren am Backpapier aus der Form heben, das Papier behutsam ablösen. Die Terrine mit einem scharfen Messer in Scheiben schneiden (am besten mit einem Elektromesser).

Eine Cumberlandsauce zur Rehterrine servieren.

Zubereitungszeit: 3 1/2 Stunden (plus Kühl- und Garzeiten)
Pro Scheibe (bei 15 Scheiben)
20 g E, 31 g F, 5 g KH = 405 kcal (1693 kJ)

Cumberlandsauce

Für 4 Portionen:
1 kleine Schalotte
sehr fein abgeschnittene Schale von
1/2 Orange (unbehandelt)
3 El Rotwein
250 g Johannisbeergelee
1 Tl Senfpulver (ersatzweise scharfer Senf)
Salz
Cayennepfeffer
1 Msp. Ingwerpulver
1 Schuß Portwein

1. Die Schalotte sehr fein würfeln. Die Orangenschale in sehr feine Streifen schneiden. Schalotte und Orangenschale im Rotwein zum Kochen bringen, auf sehr milder Hitze 10 Minuten ziehen und anschließend kalt werden lassen.

2. Das Johannisbeergelee mit den Gewürzen abschmecken und in die kalte Rotweinmischung rühren. Den Portwein unterrühren. Die Cumberlandsauce noch einmal abschmecken.

Zubereitungszeit: 30 Minuten
Pro Portion 0 g E, 0 g F, 42 g KH = 185 kcal (776 kJ)

Heidesand

Für 60–80 Stück:
250 g Butter
250 g Zucker
1 Pk. Vanillezucker
Salz
1 El Milch
375 g Mehl
Fett fürs Backblech

1. Die Butter gut bräunen und kalt werden lassen, dann sahnig rühren. Nach und nach den Zucker, den Vanillezucker, 1 Prise Salz und die Milch zugeben und schaumig rühren. Das Mehl erst unterrühren, dann unterkneten.

2. Den Teig zu Rollen von etwa 4 cm Ø formen, in Pergamentpapier einwickeln und mindestens 30 Minuten kalt stellen.

Vertrauen ist gut, Kontrolle ist besser: Renate Sandfuchs aus Helmstedt prüft, ob Lafer der Apfelkuchen auch wirklich gelungen ist

3. Den kalten Teig in 1/2 cm dicke Scheiben schneiden. Die Plätzchen auf ein gefettetes Backblech setzen und im vorgeheizten Ofen auf der 2. Leiste von unten bei 200 Grad (Gas 3, Umluft 180 Grad) in etwa 10 Minuten hellgelb backen.

Zubereitungszeit: 30 Minuten (plus Kühlzeit)
Pro Stück (bei 80 Plätzchen)
0 g E, 3 g F, 7 g KH = 53 kcal (222 kJ)

E&T: Es ist zwar ein bißchen umständlich, die Butter erst zu bräunen, dann wieder kalt werden zu lassen, um sie dann sahnig zu rühren. Aber gerade dieser erste Bräunungsprozeß macht den typischen Geschmack vom Heidesand aus.

Welfenpudding

Für 4–6 Portionen:
1/2 l Milch
120 g Zucker
1 Pk. Vanillezucker
Salz
50 g Speisestärke
4 Eier (Gew.-Kl. 3, getrennt)
1 El Zitronensaft
1/4 l Weißwein

1. Die Milch (3 El zum Anrühren der Speisestärke zurücklassen) mit 40 g Zucker, Vanillezucker und Salz aufkochen.

2. 40 g Speisestärke mit 2 El Milch anrühren und in die Vanillemilch einrühren.

3. Den Flammeri unter kräftigem Rühren aufkochen lassen, dann das steifgeschlagene Eiweiß unterheben.

4. Den Flammeri in eine Glasschale füllen (höchstens halbvoll) und kalt werden lassen.

5. Für den Weinschaum Eigelb, restlichen Zucker, Zitronensaft, Wein und die mit der restlichen Milch angerührte restliche Speisestärke in einem engen hohen Topf verrühren.

6. Unter Rühren auf milder Hitze so lange erhitzen, bis die Masse aufsteigt und schaumig ist. Den Topf vom Herd nehmen, den Weinschaum noch etwa 5 Minuten weiterschlagen, bis er etwas abgekühlt ist.

7. Den gelben Weinschaum löffelweise auf den weißen Flammeri heben und servieren.

Zubereitungszeit: 30 Minuten (plus Zeit zum Kühlen)
Pro Portion 8 g E, 7 g F, 33 g KH = 262 kcal (1100 kJ)

E&T: Der Flammeri muß kalt sein, wenn der Weinschaum daraufgegeben wird, sonst mischt er sich mit dem Schaum und wird wieder dünn.

17. OBERPFALZ / NIEDE

RBAYERN

Moderne Fischküche aus der Metropole der Oberpfalz, dem schönen Regensburg: gebratenes Saiblingsfilet auf feinem Rettichsalat

17. OBERPFALZ/NIEDERBAYERN

Gebratenes Saiblingsfilet auf feinem Rettichsalat

Zum Foto auf den Seiten 92/93

Für 4 Portionen:
4 Saiblinge (à 250 g)
300 g Kartoffeln
100 ml Öl
Salz, Pfeffer (a. d. Mühle)
300 g Rettich (weißer und roter Rettich gemischt, kleine Wurzeln)
1 Tl Zucker, 6 El Apfelessig
2 El frisch geriebener Meerrettich
6 El Sonnenblumenkernöl
1 El glatte, gehackte Petersilie
1 kleiner Kopf Radicchio
50 g Butter, 3 Thymianzweige
1 gehackte Knoblauchzehe

1. Filetieren: Zuerst die Köpfe der Saiblinge abschneiden. Ein scharfes Messer direkt oberhalb der Gräte am Kopfende ansetzen und das Filet in Richtung Schwanzende herunterschneiden. Den Fisch umdrehen und das andere Filet abschneiden. Die Filets auf die Hautseite legen.

2. Die Schwanzflossen, die hinteren Kanten mit der Rückenflosse und die Bauchlappen abschneiden. Mit der Messerklinge vom Schwanzende her mit leichtem Druck über die Filets streichen, damit sich die restlichen Gräten aufstellen. Die Gräten mit einer Pinzette entfernen. Die Filets abspülen, trockentupfen und kalt stellen.

3. Die Kartoffeln schälen, waschen, trocknen und in dünne Scheiben schneiden. Das Öl in 2 Pfannen nicht zu heiß werden lassen. Die Kartoffeln darin von beiden Seiten in je 7–8 Minuten goldbraun und knusprig braten, mit Salz und Pfeffer würzen.

4. Rettich schälen und in dünne Scheiben schneiden oder hobeln, mit Zucker und Salz bestreuen. Apfelessig, geriebenen Meerrettich, Sonnenblumenkernöl und Petersilie untermischen. Den Radicchio putzen und zerpflücken.

5. Die Butter in 2 Pfannen aufschäumen lassen. Die Saiblingsfilets darin von jeder Seite knapp 2 Minuten sanft braten. Dabei zuerst die Thymianblättchen, nach dem Wenden den Knoblauch einstreuen und mit Salz und Pfeffer würzen. Die Kartoffeln unter den Rettichsalat mischen und auf dem Radicchio anrichten. Die Saiblinge ebenfalls anrichten, mit etwas Bratbutter beschöpfen und sofort servieren.

Zubereitungszeit: 1 1/2 Stunden
Pro Portion 36 g E, 49 g F, 15 g KH = 648 kcal (2717 kJ)

E&T: Die Kartoffeln bleiben knusprig und heiß, wenn man sie nach dem Braten auf einem dick mit Küchenpapier ausgelegten Backblech verteilt und in den auf 120 Grad (Gas 1, Umluft 100 Grad) vorgeheizten Backofen auf die 2. Einschubleiste von oben schiebt. So wird das überschüssige Öl vollständig aufgesaugt.

Aus dem Land, wo der Hopfen wächst: Zwetschgenbuchteln r

nkelbierschaum, Niederbayerns schönstes Dessert

Zwetschgenbuchteln mit Dunkelbierschaum

Zum Foto links

Für 6 Portionen:
Hefeteig
350 g Mehl, 1/8 l lauwarme Milch
15 g Hefe, 40 g Zucker
Salz, 1 Ei + 1 Eigelb (Gew.-Kl. 3)
1 Tl abgeriebene Zitronenschale (unbehandelt)
50 g zimmerwarme Butter
Mehl zum Bearbeiten
Füllung und Glasur
12 Zwetschgen
80 g Marzipanrohmasse
30 g geröstete Mandelblättchen
40 ml Zwetschgenwasser
60 g Butter, 3 El Rohrzucker
1/8 l Schlagsahne
Bierschaum
4 Eigelb, 1/8 l dunkles Bockbier
80 g Zucker, 1 Msp. Zimtpulver
Mark aus 1 Vanilleschote, 1 El Rum

1. Für den Hefeteig 50 g Mehl, Milch, die zerbröckelte Hefe und 20 g Zucker verrühren. Mit Folie zudecken und zu doppelter Größe aufgehen lassen. Den Vorteig mit restlichem Mehl und Zucker, 1 Prise Salz, Ei, Eigelb und Zitronenschale mischen und mit der Butter zu einem glatten, elastischen Teig verkneten. Zur Kugel formen, mit Klarsichtfolie zudecken und in 20–30 Minuten zu doppelter Größe aufgehen lassen.

2. Zwetschgen waschen, trocknen, aufschneiden und entsteinen. Marzipanrohmasse mit den Mandelblättchen und 20 ml Zwetschgenwasser verkneten, zu 12 Kugeln formen und die Zwetschgen damit füllen. Eine ofenfeste flache Form mit 30 g Butter ausfetten, mit 2 El Rohrzucker ausstreuen und die Sahne hineingießen.

3. Den Hefeteig auf der mit Mehl bestäubten Arbeitsfläche kurz zusammenkneten, zu einer etwa 50 cm langen Rolle formen, in 12 Scheiben schneiden, je 1 Zwetschge in die Mitte setzen. Mit bemehlten Händen runde Klöße formen. Die Klöße dicht an dicht in die Form setzen. Mit Klarsichtfolie zudecken und 10–15 Minuten gehen lassen.

4. Die Klöße im vorgeheizten Backofen auf der 2. Leiste von unten bei 200 Grad (Gas 3, Umluft 180 Grad) 25–30 Minuten backen (evtl. nach 20 Minuten mit Backpapier bedecken).

5. Die restliche Butter schmelzen, mit restlichem Rohrzucker und Zwetschgenwasser verrühren. Die Buchteln damit einpinseln.

6. Eigelb, Bier, Zucker, Zimt und Vanillemark über dem heißen Wasserbad mit dem Schneebesen dick-schaumig aufschlagen, anschließend kaltschlagen. Den Dunkelbierschaum mit dem Rum würzen und zu den Buchteln servieren.

Zubereitungszeit: 1 3/4 Stunden
Pro Portion 15 g E, 38 g F, 89 g KH = 791 kcal (3312 kJ)

KLASSIKER

Oberpfälzer Goaßbratl

Für 4 Portionen:
1 kg Kartoffeln
Fett für die Form
1/2 l saure Sahne
1/4–1/2 l Milch
Salz, Pfeffer (a. d. Mühle)
4 geräucherte Schweinerippchen

1. Die Kartoffeln schälen waschen, trockentupfen und in feine Scheiben schneiden.

2. Eine Auflaufform gut ausfetten. Die Kartoffelscheiben hineinschichten. Die saure Sahne und 1/4 l Milch darübergießen. Mit Salz und Pfeffer würzen Die Rippchen darauf legen.

3. Den Auflauf im vorgeheizten Backofen auf der 2. Leiste von unten bei 225 Grad (Gas 4, Umluft 200 Grad) 45 Minuten backen. Dabei eventuell noch etwas Milch zugießen (Der Goaßbratl darf auf keinen Fall trocken, sondern muß sehr saftig sein).

Zubereitungszeit: 1 Stunde
Pro Portion 32 g E, 34 g F, 13 g KH = 483 kcal (2026 kJ)

Arm, aber schmackhaft

Der Boden ist karg in der Oberpfalz, weshalb das Land als „Erdapfl-Landl" oder gar als Kartoffel-Pfalz verschrien ist. Es will halt einfach nichts anderes gedeihen. Aber die Oberpfälzer haben, wie das Ergebnis oben zeigt, verstanden, aus dem wenigen das Schmackhafteste zu machen. In den schlimmen Hungerjahren des Krieges zwischen Österreich und Preußen von 1778 bis 1779 ist allerdings auch ein böser Spruch über die Kartoffel entstanden:

„Erdäpfl in da Froih, (am Morgen)
mittags in da Bröih, (in der Suppe)
af d'Nacht in da Heit, (mit der Haut)
Erdäpfl in Ewichkeit!"

Was alles zu einer echten Oberpfälzer Kerwa gehört:

Im Oberpfälzer Stiftland, wo die Berge des Egerlandes, des Kaiserwaldes, des Fichtelgebirges, des Steinwaldes und des Böhmerwaldes ineinander übergehen, ist der Broterwerb mühselig gewesen, sind die Leute noch heute auf schweigsame Art fleißig. Der Fremde wird mit einer gewissen Reserviertheit betrachtet. Das alles hat dem Stiftländer gelegentlich den Vorwurf eingetragen, der Ostfriese Bayerns zu sein. Aber sie können feiern, die Oberpfälzer, ihre Kerwa, ihre Kirchweihfeste, sind über die Grenzen berühmt. Und was dazu gehört, beschreibt ein Oberpfälzer Heimatbuch: „Eine fette Gans oder Ente; Knödl und vor allem Bavesen, Nudeln, Striezeln und Apfliküachla und roggene Schnucksen."

Pichelsteiner

Für 4 Portionen:
500–750 g Schweinefleisch
(aus der Keule)
30 g Schmalz
3 Zwiebeln
4 Möhren
500 g Wirsingkohl
500 g Kartoffeln
Salz, Pfeffer (a. d. Mühle)
1 Tl Kümmel
2 El Butter
3/4 l Fleischbrühe

1. Das Fleisch würfeln und in einem Schmortopf in Schmalz anbraten.

2. Inzwischen das Gemüse putzen, kleinschneiden und in Lagen auf das Fleisch schichten. Jede Lage mit Salz, Pfeffer und Kümmel würzen. Auf die oberste Lage Butterflöckchen setzen. Mit heißer Brühe begießen.

3. Den Eintopf zugedeckt im vorgeheizten Backofen auf der 2. Einschubleiste von unten bei 175 Grad (Gas 2, Umluft 150 Grad) 1 1/2–2 Stunden schmoren lassen.

Den Pichelsteiner im Topf servieren. Derbes Bauernbrot dazu reichen.

Zubereitungszeit: 2 Stunden
Pro Portion 33 g E, 26 g F, 23 g KH = 460 kcal (1922 kJ)

E&T: Die Heimat des beliebten Pichelsteiner Topfes ist die Stadt Regen mit dem Berg „Büchelstein". Hier feiert man seit 1874 jedes Jahr Ende Juli das Pichelsteiner Fest. Eine ganz besonders schöne Kruste bekommt der Eintopf übrigens, wenn Sie außer den Butterflöckchen noch Markscheiben mit aufs Kraut geben.

Vom bayerischen Salz:

Einen großen Teil des bayerischen Reichtums macht das Salz aus, das seit Urzeiten in Salzbergwerken im Berchtesgadener Land abgebaut wird. Denn wenn die Bayern die eigene Suppe gesalzen hatten, tauschten sie das Salz nach Böhmen, Mähren, Österreich und Ungarn gegen Honig, Wein und ungekelterte Trauben und bereicherten dadurch wiederum den eigenen Speiseplan.

Das Salz wurde entweder auf der Salzach oder auf dem Landwege transportiert. Für den Landweg wurde es in Scheiben gestoßen. Darum heißt die Salzstraße auch die „Scheibenstraße". Die Salzgroßhändler, die nicht schlecht bei diesem Geschäft verdienten, waren die „Salzsender", und die Krämer, die es verkauften, die „Salzstößler".

Kleine Knödel-Kunde

Vor langer Zeit wurde das niederbayerische Deggendorf von feindlichen Heerscharen eingeschlossen. Als die Belagerten ihr Pulver verschossen hatten, erwogen sie die Übergabe der Stadt an die Feinde. Dagegen wehrten sich die Frauen von Deggendorf. Die Tochter des Bürgermeisters ließ alle Reste von Mehl und Brot zusammentragen und mit Wasser zu einem Teig verkneten, aus dem dann handfeste Kanonenkugeln geformt wurden. Als die Belagerer zum Angriff bliesen, wurden sie von einer regelrechten Knödelkanonade empfangen. Sie zogen ab, denn sie waren der Meinung, daß eine Stadt, die sich mit Knödeln verteidigen kann, so schnell nicht auszuhungern sei.

Die Deggendorfer Knödel von heute werden aus alten Semmeln, Milch, Eiern und Petersilie gedreht und dann gekocht. Man ißt sie besonders gern zur gebratenen Schweinshaxe.

Klöße sind schon im alten Rom als Opfergabe bekannt und heißen in Bayern Knödel. Die ersten tauchen in Memmingen auf, von wo aus sie sich schnell als „Kniadla" in Oberbayern verbreiten und dann als Klöße nach Franken, Thüringen, Schlesien und in den Bayerischen Wald finden, wo sich schon der Einfluß der böhmischen Küche geltend macht, die alle Mehlspeisen noch mit schweren Zutaten kräftigt. Die „böhmischen Knödel" enthalten viel Fett und werden vor dem Anrichten in Scheiben geschnitten und vor dem Servieren mit gerösteten Zwiebeln belegt.

Kirchweih-Küchle

Für 12 Stück:
500 g Weizenmehl
1 Tl Salz
30 g Hefe
3/8 l Milch
30 g Butter
1 gehäufter El Zucker
100 g Rosinen
Mehl zum Bearbeiten
etwas flüssige Butter
Butterschmalz zum Ausbacken
Puderzucker zum Bestäuben

1. Das Mehl in eine Schüssel sieben und eine Mulde eindrücken. Das Salz auf den Mehlrand geben. Die Hefe in die Mulde bröckeln und mit der Hälfte der lauwarmen Milch verrühren. Den Vorteig zugedeckt 20 Minuten gehen lassen.

2. Die Butter in der restlichen lauwarmen Milch schmelzen lassen, den Zucker darin auflösen, auf den Vorteig gießen und verrühren. Den Teig so lange schlagen, bis er sich vom Schüsselboden löst. Zum Schluß die Rosinen untermischen.

3. Den Hefeteig in 12 gleichmäßige Stücke teilen und Kugeln daraus formen. Die Teigkugeln auf ein bemehltes Backbrett legen und zugedeckt 10 Minuten gehen lassen.

4. Die Finger in flüssige Butter tauchen und die Teigkugeln vorsichtig so ausziehen, daß sie in der Mitte durchscheinend sind und einen dicken Rand haben.

5. Das Ausbackfett auf etwa 160 Grad erhitzen. Die Küchle vorsichtig nacheinander in das heiße Fett legen und von beiden Seiten goldbraun backen. Beim Wenden darauf achten, daß kein Fett in die Mitte kommt: Das „Fenster" soll nämlich hell bleiben.

6. Die Küchle mit der Schaumkelle aus dem Fett heben, auf Küchenpapier gut abtropfen lassen und vor dem Servieren mit Puderzucker bestäuben.

Zubereitungszeit: 1 Stunde (plus Ruhezeiten für den Teig)
Pro Küchle 6 g E, 12 g F, 41 g KH = 297 kcal (1244 kJ)

Der Oberpfälzer Herbert Schmalhofer ist viele Jahre der Leibkoch des Fürsten von Thurn und Taxis gewesen, heute ist er Chef im schönen Bischofshof zu Füßen des Regensburger Doms

Vom Rettich

Früher schmeckten Tomaten süß, die Gurken hatten eine bittere Spitze, und in Bayern war der Radi „raß". Das heißt, ein frisch aufgeschnittener Rettich brannte so scharf auf der Zunge, daß man ihn erst tüchtig einsalzen mußte, um ihm die scharfen Senföle zu entziehen.

Die bayerischen Rettich-Experten schneiden den Radi nicht quer, sondern längs auf. Dabei geben die Pflanzenzellen noch mehr Saft ab.

Wichtig: Auch die Rettichblättchen kann man essen, sie schmecken fein und mild.

Der Rettich ist der größere, schärfer schmeckende Verwandte des Radieschens, der fast ganzjährig im Freien geerntet werden kann. Im Frühjahr gibt es weiße und rosa Mairettiche, ab Juli weiße Sommer- und Herbstrettiche, ab Oktober schwarze und violette Herbstrettiche. Nur die dunklen Sorten müssen geschält werden, bei den übrigen reicht vor dem Rohverzehr gründliches Abbürsten. Sommer- und Herbstware ist meist kräftiger im Geschmack und hat festeres Fleisch.

Rettich soll gerade gewachsen und nicht geplatzt sein. Ob ein Rettich verholzt ist, läßt sich sehr schwer erkennen. Wenn er mit Blättern vermarktet wird, ist das ein gutes Zeichen für Frische. Generell sollte man Wurzeln mit einem Durchmesser von mehr als 5–7 cm nicht kaufen, denn sehr dicke Rüben sind oft holzig.

Auf dem Markt gibt es verstärkt japanische Sorten (einer für 4 Personen), die lassen sich besser lagern, schmecken aber lasch.

Rettich soll nur sehr sparsam gesalzen werden. Salzt man ihn zu viel und zu lange, entzieht man ihm das Wasser und damit den Geschmack.

Rettich ist reich an Kohlenhydraten, Eiweiß und an wertvollen Vitaminen (C und B). Er fördert (durch die Senföle) den Appetit und regt die Verdauung an.

Mit Honig angemachter Rettichsaft ist gut gegen Husten und Bronchitis.

Der Rettich ist übrigens ein Geschenk, das Regensburg ganz Bayern machte. Aus dem Regensburger Stadtteil Weichs wurde er in den Freistaat verschickt.

18. SCHWABEN

Stiftung
WÜRTTEMBERG 1995
Lemberger trocken
A.P.Nr. 500 001 96
0,75 l
Qualitätswein
12% vol.
Gutsabfüllung
Weingut Dr. Baumann
Schloß Affaltrach
D-74182 Obersulm

Rumpsteaks in der Linsenkruste mit saurem Linsengemüse:
Lafer hat diese Spezialität mit edlem
Lemberger aus dem Schwabenländle verschönt

18. SCHWABEN

Rumpsteaks in der Linsenkruste mit saurem Linsengemüse

Zum Foto auf den Seiten 98/99

Zum Foto auf den Seiten 98/99

Für 4 Portionen:
150 g Tellerlinsen
300 ml Rotwein (z. B. Lemberger)
Salz
1/2 Bund Suppengrün
1/2 Bund glatte Petersilie
50 g rote Linsen
250 g Schalotten
100 g Butterschmalz
2 El Senf
1 El Semmelbrösel
4 Rumpsteaks (à 200 g)
Pfeffer (a. d. Mühle)
Mehl zum Bestäuben
50 g Butter
100 ml Balsamessig
1 El Majoranblättchen
Zucker

1. Die Linsen am Vortag in reichlich Wasser einweichen, am nächsten Tag abtropfen lassen und zugedeckt bei milder Hitze in 150 ml Rotwein mit Salz 15 Minuten kochen. Die Linsen in ein Sieb schütten und abtropfen lassen.

2. Inzwischen das Suppengrün putzen und fein würfeln. Die Petersilie hacken.

3. Für die Kruste die roten Linsen einmal in Salzwasser aufkochen und abtropfen lassen. Die Schalotten pellen, sehr fein würfeln und in 25 g heißem Butterschmalz andünsten. Die roten Linsen unterrühren, vom Herd nehmen, Senf, Petersilie und Semmelbrösel unterrühren. Die Linsenkruste abkühlen lassen.

4. Die Steaks an der Fettkante mehrfach einschneiden und mit Salz und Pfeffer würzen. Die Linsenkruste oben auf die Steaks geben und fest andrücken. Die Steaks vorsichtig in Mehl wälzen.

5. Das restliche Butterschmalz in einer Pfanne erhitzen. Die Steaks mit der Krustenseite nach unten hineingeben und anbraten. Die Steaks mit einer breiten Palette umdrehen und kurz weiterbraten.

6. Die Pfanne im vorgeheizten Backofen auf die 2. Leiste von unten setzen. Die Rumpsteaks bei 150 Grad (Gas 1, Umluft 130 Grad) 15 Minuten garen.

7. Inzwischen für die Rotweinlinsen die Suppengrünwürfel in 20 g Butter andünsten, mit Salz und Pfeffer würzen. Den Balsamessig zugießen und bei starker Hitze etwas einkochen lassen. Den restlichen Rotwein zugießen und zur Hälfte einkochen lassen. Die Tellerlinsen und den Majoran untermischen. Die restliche kalte Butter in kleinen Stücken einrühren. Das Linsengemüse mit 1 kräftigen Prise Zucker würzen und zu den Steaks servieren.

Zubereitungszeit: 1 1/4 Stunden (plus Einweichzeit)
Pro Portion 60 g E, 46 g F, 36 g KH = 825 kcal (3454 kJ)

Urschwäbisch: Maultaschensuppe mit unterschiedlich gefüllte

Maultaschensuppe

Zum Foto links

Für 4–6 Portionen:

Brühe

1 Poularde (1,2–1,5 kg)
1 Zwiebel
1 Bund Suppengrün
Salz
2 Lorbeerblätter
3 Thymianzweige
5 kleine Liebstöckelblätter
dünn abgeschnittene Schale von 1/2 Zitrone (unbehandelt)

Nudelteig

2 Eier (Gew.-Kl. 3)
Salz
30 g Öl
frisch geriebene Muskatnuß
140 g Hartweizengrieß
140 g Weizenmehl
Mehl zum Bearbeiten
1–2 Eigelb zum Bestreichen

Vegetarische Füllung

120 g Ziegenfrischkäse
2 El Tomatenwürfel
2 El Schnittlauchröllchen
1 El Schalottenwürfel
1 El Balsamessig
Salz

Fleischfüllung

120 g Kalbshackfleisch
1 El Basilikumstreifen
1 El Crème fraîche
1 Eigelb
abgeriebene Schale von 1/2 Zitrone (unbehandelt)
Salz, Pfeffer (a. d. Mühle)

Suppeneinlage

100 g feine Champignonscheiben
2 Frühlingszwiebeln in feinen Ringen
2 El Schnittlauchröllchen

1. Für die Brühe die Poularde waschen. Die Zwiebel ungepellt halbieren, die Schnittflächen in einer heißen Pfanne ohne Fett bräunen. Das Suppengrün putzen und grob würfeln. Alles in einem großen Topf mit kaltem Wasser bedecken, leicht salzen, langsam aufkochen und sehr sorgfältig abschäumen.

2. Lorbeer, Thymian, Liebstöckel und Zitronenschale zugeben. Die Brühe bei milder Hitze ohne Deckel knapp 2 Stunden sieden lassen, dabei ab und zu abschäumen. Die Brühe mit der Kelle durch ein feines Sieb in einen anderen Topf umgießen.

3. Inzwischen für den Nudelteig Eier mit Salz, Öl und Muskat in einer Schüssel aufschlagen. Den Grieß unterrühren, das Mehl unterkneten, bis der Teig glatt und geschmeidig ist. Den Teig in Klarsichtfolie wickeln und mindestens 30 Minuten im Kühlschrank ruhenlassen.

4. Inzwischen die Zutaten für die beiden Füllungen mischen und zugedeckt beiseite stellen.

5. Den Teig halbieren. Jedes Stück etwas flachdrücken, mit Mehl bestäuben und mehrfach durch die Nudelmaschine drehen. Dabei die Stufen jedesmal zurückschalten. Den Teig auf 2 dünne Teigbahnen von etwa 1,10 m Länge ausrollen und auf die mit Mehl bestäubte Arbeitsfläche legen.

6. Die vegetarische Füllung in 12 Häufchen etwas unterhalb der Mitte auf eine Teigbahn setzen. Die Bahn zwischen den Füllungen zu 9 cm breiten Rechtecken ausradeln. Die Ränder mit verquirltem Eigelb einpinseln. Die Rechtecke von der kurzen Seite aus aufrollen, die Enden zusammendrücken und überschüssiges Mehl abklopfen.

7. Die Fleischfüllung ebenfalls in 12 Häufchen etwas unterhalb der Mitte auf die zweite Teigbahn setzen und rundum mit Eigelb bestreichen. Die freie Teighälfte über die ganze Länge über die Füllungen klappen und rundum kräftig andrücken, damit die Luft herausgepreßt wird. Dann 9 cm breite Halbmonde ausstechen oder ausradeln und das überschüssige Mehl von den Taschen abklopfen.

8. Die Maultaschen in der leise kochenden Hühnerbrühe 3–4 Minuten garen. Champignons und Frühlingszwiebeln in der fertigen Suppe kurz ziehen lassen, den Schnittlauch darüber streuen und servieren.

Zubereitungszeit: 2 3/4 Stunden
Pro Portion (bei 6 Portionen)
18 g E, 17 g F, 38 g KH = 380 kcal (1591 kJ)

Lafers Tip: völlig ungetrübt

Eine so feine Brühe sollte wirklich ganz klar sein, wenn sie serviert wird. Deshalb müssen Sie während des Garens die Trübstoffe immer sorgfältig mit einer Schaumkelle abschöpfen. Nach dem Garen dürfen Sie die Brühe auch nicht einfach so in einen anderen Topf umgießen, sondern Sie müssen sie Kelle für Kelle vorsichtig durch ein feines Sieb umschöpfen, damit kein Eiweißfädchen oder Fettschäumchen mit in den neuen Topf wandert.

Noch ein Tip: Sie können die Maultaschen auch extra in gesalzenem Wasser garen und anschließend abgetropft in die klare Hühnerbrühe legen. Dann wird das feine Süppchen wirklich kein Stöffchen mehr trüben.

KLASSIKER

Linsen und Spätzle

Für 4 Portionen:
1 Zwiebel
23 Knoblauchzehen
1 Lorbeerblatt
250 g Linsen
20 g Butter
2 El Mehl
1/8 l Rotwein
Rotweinessig nach Geschmack
Salz, Pfeffer (a. d. Mühle)
4 Saitenwürste
4 Scheiben Rauchfleisch (à 100 g)

1. Zwiebel und Knoblauchzehen pellen, mit dem Lorbeerblatt und den Linsen in 1 l kaltes Wasser geben, langsam erhitzen, die Linsen darin in 35–45 Minuten weich kochen. (In dieser Zeit auch die Spätzle zubereiten.)

2. Inzwischen in einem anderen Topf die Butter zerlassen und das Mehl darin unter Rühren braun werden lassen.

3. Aus den Linsen Zwiebel, Lorbeerblatt und Knoblauch entfernen, die Linsen mit ihrer Flüssigkeit zur braunen Mehlschwitze gießen. Mit Wein, Essig, Salz und Pfeffer pikant sauer abschmecken.

4. Die Saitenwürste darin erhitzen und das Rauchfleisch kurz mitziehen lassen. Die Spätzle dazu servieren.

Zubereitungszeit: 1 Stunde
Pro Portion 45 g E, 32 g F, 38 g KH = 637 kcal (2667 kJ)

Zum Maultaschenmachen und zum Teigradeln braucht man gute, stabile Geräte. Diese hier sind nicht nur formschön, sondern auch aus extrem haltbarem Messing gemacht. Sie bekommen sie von der Firma Kronen im guten Fachhandel

Spätzle

Für 4 Portionen:
375 g Mehl
2 Eier (Gew.-Kl. 3)
Salz
1 El Öl oder Butter

1. Mehl, Eier und 1 Prise Salz zu einem Teig verarbeiten, 1/8–1/4 l Wasser zugießen (je nach Größe der Eier) und den Teig weiterrühren und schlagen, bis er Blasen wirft. Dann auch das Fett unterrühren. Den Teig 30 Minuten ruhenlassen.

2. In einem großen Topf Salzwasser zum Kochen bringen. Ein Spätzlebrett mit kaltem Wasser anfeuchten. Eine kleine Portion Teig auf das Brett geben und mit einem nassen Messer schmale Teigstreifen ins kochende Salzwasser schaben. Das Messer zwischendurch immer wieder naß machen, damit der Teig nicht kleben bleibt.

3. Die Spätzle sofort mit der Schaumkelle aus dem Wasser nehmen, wenn sie an die Oberfläche kommen. Die fertigen Spätzle entweder gleich unter heißem Wasser abbrausen oder kurz in einem Topf mit heißem (nicht kochendem) Wasser schwenken.

Die Spätzle gut abtropfen lassen und in einer vorgewärmten Schüssel servieren.

Zubereitungszeit: 20 Minuten (plus Zeit zum Ruhen für den Teig)
Pro Portion 13 g E, 7 g F, 67 g KH = 384 kcal (1607 kJ)

Anmerkungen zu Spätzle und Knöpfle

Das Spätzleschaben vom Brett ist eine Kunst, die früher von Schwäbin auf Schwäbin vererbt wurde. Leider ist der Brauch fast ausgestorben. Weil aber die Schwaben natürlich nicht auf ihre Spätzle verzichten können, hat man sich im Laufe der Jahrzehnte ein ganzes Arsenal an Spätzlemaschinen ausgedacht. Auch die mit der Maschine oder Presse gemachten Spätzle sind immer noch besser als die fertig gekauften.

Die Augsburger und Allgäuer Version der Spätzle heißen übrigens Knöpfle. Ob Spätzle oder Knöpfle besser schmecken — darüber wird man sich nie einigen können. Knöpfle jedenfalls werden aus genau dem gleichen Teig gemacht wie Spätzle. Man tut (Schwaben „tun" immer alles) diesen Teig in ein Knöpflesieb (ein Sieb mit großen Löchern) und rührt ihn ins kochende Salzwasser. Der Teig fällt in Tropfen ins Wasser und verfestigt sich dort zu kleinen Klümpchen.

Saure Kutteln

Für 4 Portionen:
30 g Butter
3 El Mehl
1 Zwiebel
1 1/2 l Fleischbrühe
Salz, Pfeffer (a. d. Mühle)
2 Lorbeerblätter
800 g Kutteln (vorgekocht und geschnitten)
12 El Weinessig
1/8 l trockener Weißwein

1. Die Butter in einem Topf erhitzen, das Mehl darin andünsten. Inzwischen die Zwiebel fein hacken. Wenn das Mehl hellbraun ist, die Zwiebel zugeben und alles unter Rühren dunkelbraun werden lassen. Dann die Brühe zugießen, mit Salz, Pfeffer und Lorbeer würzen.

2. Die vorbereiteten Kutteln in die kochende Flüssigkeit geben und in knapp 1 Stunde weich kochen.

3. Die Sauce mit Essig, Wein und Salz abschmecken. Die Kutteln in der Sauce servieren.

Zubereitungszeit: 1 1/2 Stunden
Pro Portion 35 g E, 14 g F, 9 g KH = 316 kcal (1318 kJ)

E&T: Die braune Sauce (oder besser gesagt die braune Brühe), die man im Schwäbischen zu Kutteln oder zu sauren Kartoffelrädle macht, ist eine ganz normale Mehrzweck- oder Standardsauce. Statt der Kutteln kann man darin genausogut feingeschnittene Kalbslunge anrichten. Es gibt Schwaben, die legen sogar Schneidebohnen hinein.

Kalbsbriesle

Für 4 Portionen:
500 g Kalbsbries
1 Bund Suppengrün
1 Zwiebel, Salz
1 Lorbeerblatt
100 g Butter

1. Das Kalbsbries 2 Stunden in kaltes Wasser legen, dann die Haut entfernen. Das Suppengrün waschen und putzen, die Zwiebel schälen.

2. In einem Topf Salzwasser mit Suppengrün, Zwiebel und Lorbeerblatt zum Kochen bringen, das vorbereitete Bries hineinlegen und 10 Minuten lang darin ziehen, aber nicht kochen lassen.

3. Kurz vor dem Servieren die Butter leicht bräunen. Das Bries aus der Brühe nehmen, auf einer vorgewärmten Platte anrichten und mit der braunen Butter übergießen.

Kartoffelsalat und grünen Salat dazu reichen.

Zubereitungszeit: 30 Minuten (plus Zeit zum Wässern für das Bries)
Pro Portion 22 g E, 25 g F, 0 g KH = 310 kcal (1298 kJ)

Schwäbisches Büffet, auf dem sich (fast) alles um die Spätzle dreht

Saure Nierle

Für 4 Portionen:
500 g Schweinenieren
1/4 l Milch
30 g Butter
4 Zwiebeln
1 El Mehl
1/8 l Brühe
2-3 El Weinessig (oder 1/8 l Weißwein)
Salz
Pfeffer (a. d. Mühle)

1. Die Nieren der Länge nach auf, aber nicht durchschneiden. Alles Weiße sorgfältig herausschneiden, dann die Nieren 30 Minuten in Milch legen.

2. Die Butter in einer Pfanne zerlassen, die Zwiebeln würfeln und in der Butter goldgelb anbraten.

3. Die Nieren aus der Milch nehmen, abtrocknen, in Scheiben schneiden und mit Mehl bestäuben.

4. Die Zwiebeln an den Pfannenrand schieben, die Nieren in der Pfanne rundum anbraten. Die Brühe und den Essig (oder den Wein) zugießen. Alles gut miteinander verrühren, kräftig aufkochen lassen, mit Salz und Pfeffer abschmecken und sofort servieren.

Zubereitungszeit: 45 Minuten
Pro Portion 22 g E, 12 g F, 6 g KH = 221 kcal (924 kJ)

Gaisburger Marsch

Für 4 Portionen:
200 g Suppenknochen
1 Tl Salz
1 Tl gekörnte Brühe
10 Pfefferkörner
1 kleine Zwiebel
1 kleine gelbe Rübe
1 Stück Sellerie
1 Bund Petersilie
1 kleine Porreestange
600 g Rindfleisch (Ochsenwade)
750 g Kartoffeln
Spätzle
300 g Mehl
Salz
2 Eier (Gew.-Kl. 3)
20 g flüssige Butter
außerdem
30 g Butter
2 Zwiebeln

1. Die Suppenknochen mit Salz, gekörnter Brühe, Pfeffer, gepellter Zwiebel und geputztem, gewaschenem Suppengemüse in 1 1/2 l kaltes Wasser geben und langsam erhitzen.

2. Wenn das Wasser kocht, das Rindfleisch zugeben. Alles zusammen etwa 2–2 1/2 Stunden ganz leise sieden lassen.

3. In der Zwischenzeit für die Spätzle das Mehl in eine Schüssel geben, mit Salz und Eiern verrühren und so viel Wasser zugeben, bis der Teig mehr zäh als flüssig ist, dann auch die geschmolzene Butter unterrühren. Den Teig zugedeckt 30 Minuten ruhenlassen.

4. Inzwischen die Kartoffeln schälen und in Salzwasser 20 Minuten garen und anschließend abgießen.

5. Während die Kartoffeln kochen, in einem großen Topf Salzwasser zum Kochen bringen. Ein Spätzlebrett mit kaltem Wasser abspülen, etwas Teig darauf geben und mit dem Messer feine Teigstreifen ins sprudelnd kochende Wasser schaben. Das Messer zwischendurch immer wieder in kaltes Wasser tauchen, damit der Teig nicht kleben bleibt. Wenn die Spätzle an die Oberfläche steigen, sofort mit einem Schaumlöffel herausnehmen und mit heißem Wasser abbrausen. Fertige Spätzle auf einer vorgewärmten Platte warm halten, bis auch der Rest fertig ist.

6. Das gegarte Fleisch aus der Brühe nehmen und in mundgerechte Würfel schneiden. Die Brühe durch ein Sieb gießen und wieder erhitzen.

7. Die Butter schmelzen und die in Ringe geschnittenen Zwiebeln darin goldbraun braten.

8. Zum Anrichten Fleisch, Spätzle und Kartoffeln in eine Suppenschüssel schichten, mit der kochenden Brühe begießen und die Zwiebeln obendrauf geben.

Zubereitungszeit: 3 Stunden
Pro Portion 45 g E, 26 g F, 77 g KH = 731 kcal (3055 kJ)

19. ODENWALD/BERG

Die schaumige Kirschtorte ist Johann Lafers Weiterentwicklung der schönsten kulinarischen Erfindung des Odenwalds, des Kirschenmichels nämlich

Schaumige Kirschtorte

Zum Foto auf den Seiten 104/105

Ergibt 12–14 Stücke:
Teig
250 g Mehl, 1 Eigelb (Gew.-Kl. 3)
70 g Zucker, Salz, 1/2 Tl Zimtpulver
170 g zimmerwarme Butter
Mehl zum Bearbeiten, Fett für die Form
getrocknete Erbsen zum Blindbacken
Füllung
80 g zimmerwarme Butter
40 g Puderzucker, 1 Pk. Vanillezucker
3 Eigelb (Gew.-Kl. 3), 50 g Mehl
2 Eiweiß (Gew.-Kl. 3), 50 g Zucker
125 g geröstete, gemahlene Haselnußkerne
3 El Kirschmarmelade
200 g Marzipanrohmasse in Scheiben
100 g Biskuitbrösel (z. B. von 6 Obst-Tarteletts)
500 g entsteinte Sauerkirschen (oder 400 g TK-Kirschen)
1/4 Tl Zimtpulver, 20 ml Kirschwasser
Puderzucker zum Bestäuben

1. Für den Mürbeteig Mehl, Eigelb, Zucker, 1 Prise Salz, Zimt und Butter glatt verkneten und zu einer Kugel formen, in Klarsichtfolie wickeln, 30 Minuten kalt stellen.

2. Den Teig zwischen dünn mit Mehl bestäubter Klarsichtfolie zuerst flachdrücken, dann zu einer runden Platte von gut 30 cm ø ausrollen. Die obere Folie abziehen. Mit dem Boden einer 26-cm-Springform einen Kreis auf dem Teig markieren und ausschneiden. Den Formboden dünn fetten, den Teigboden darauflegen. Die Folie abziehen. Den Teig mehrfach mit einer Gabel einstechen. Die Springform zusammensetzen. Den äußeren Teigabschnitt als Rand (2,5 cm hoch) in die Form setzen.

3. Den Boden mit einem großen Stück Backpapier bedecken, die Erbsen einfüllen. Den Boden im vorgeheizten Ofen auf der 2. Leiste von unten bei 200 Grad (Gas 3, Umluft 180 Grad) 12–15 Minuten vorbacken, auf einem Kuchengitter abkühlen lassen. Erbsen mit Papier abnehmen.

4. Butter mit Puderzucker und Vanillezucker schaumig rühren. Das Eigelb nach und nach unterrühren. Das Mehl unterrühren. Das Eiweiß mit dem Zucker steif schlagen und unterheben, die Haselnüsse unterrühren.

5. Den Boden mit der Marmelade bestreichen und mit Marzipan belegen.

6. In einer Schüssel Biskuitbrösel, Kirschen, Zimt und Kirschwasser mischen und auf das Marzipan geben. Die Schaummasse gleichmäßig darauf verteilen.

7. Die Schaumtorte im vorgeheizten Backofen auf der 2. Leiste von unten bei 200 Grad (Gas 3, Umluft 180 Grad) 30 Minuten backen. Die Torte fast abkühlen lassen, vor dem Servieren mit Puderzucker bestäuben.

Zubereitungszeit: 3 1/2 Stunden
Pro Stück (bei 14 Stücken)
8 g E, 29 g F, 48 g KH = 487 kcal (2037 kJ)

Eingelegter Ferkelnacken mit Apfelcroûtons: weil die Apfelsäu

Eingelegter Ferkelnacken mit Apfelcroûtons

Zum Foto oben

Für 4 Portionen:
1 kg Ferkelnacken (oder Jungschweinnacken)
4 Zwiebeln
2 Möhren
1 Selleriestange
1/2 Porreestange
1 Tl Senfkörner
1 Tl weiße Pfefferkörner
2 Lorbeerblätter
3 Estragonzweige
0,75 l Apfelwein
Salz, Pfeffer (a. d. Mühle)
40 g Butterschmalz
1 El Tomatenmark
2 Äpfel (300 g)
50 g Butter
1 El Zuckerrübensirup (Rübenkraut)
2 El Apfelessig

1. Am Vortag das Fleisch rundum sauber putzen und in eine tiefe Schüssel geben. Zwiebeln und Suppengrün putzen und würfeln. Mit Senf- und Pfefferkörnern, Lorbeer und 2 Estragonzweigen zum Fleisch geben. Den Apfelwein darübergießen. Das Gefäß mit Klarsichtfolie verschließen. Das Fleisch 24 Stunden marinieren.

2. Am nächsten Tag das Fleisch aus der Marinade nehmen. Die Marinade durch ein Sieb gießen und auffangen. Das Fleisch sorgfältig trocknen und mit Salz und Pfeffer einreiben.

em Fleisch guttut

3. Das Butterschmalz im Bräter erhitzen. Das Fleisch darin rundherum anbraten. Das abgetropfte Gemüse mitbraten. Das Tomatenmark kurz mitrösten. Ein Drittel der Marinade zugießen. Das Fleisch zugedeckt bei milder Hitze etwa 1 Stunde schmoren, dabei immer wieder etwas Marinade zugießen.

4. Das Fleisch aus dem Bräter nehmen und warm stellen. Den Schmorfond durch ein Sieb in eine Sauteuse umgießen, die Gemüsereste gut ausdrücken. Die Sauce bei starker Hitze etwas einkochen lassen und anschließend salzen.

5. Inzwischen die Äpfel schälen, vierteln, entkernen, 1 cm groß würfeln und in der Butter goldgelb braten. Den restlichen Estragon abzupfen, grob hacken und über die Äpfel streuen. Den Sirup und den Essig unterrühren. Die Apfelcroûtons vom Herd nehmen.

6. Den Braten auf einer vorgewärmten Platte anrichten und mit der Sauce begießen. Die Apfelcroûtons getrennt servieren.

Zubereitungszeit: 1 1/2 Stunden (plus Zeit zum Marinieren)
Pro Portion 52 g E, 45 g F, 20 g KH = 724 kcal (3025 kJ)

KLASSIKER

Lammkeule im Wiesenheu

Für 6–8 Portionen:
1 Lammkeule (2 kg, ausgelöst, Knochen hacken und mitgeben lassen)
Salz, Pfeffer (a. d. Mühle)
40 g Butterschmalz
110 g gesalzene Butter
3 Knoblauchzehen
10 g Mehl, 100 g Zwiebeln
50 g Möhren, 50 g Porree
1 El Tomatenmark
5 Thymianzweige, 4 Salbeiblätter
1 Tl Pfefferkörner, 4 Gewürznelken
4 Pimentkörner, 2 Lorbeerblätter
300 ml Rotwein, getrocknetes Wiesenheu

1. Die Lammkeule parieren (Haut und Fett abschneiden) und mit Salz und Pfeffer einreiben.

2. 20 g Butterschmalz in einem Bräter erhitzen. Die Keule darin von allen Seiten anbraten. 50 g Butter und 1 halbierte Knoblauchzehe zugeben. Die Keule im vorgeheizten Ofen auf der 2. Leiste von unten bei 150 Grad (Gas 1, Umluft nicht empfehlenswert) etwa 3 Stunden braten.

3. Inzwischen aus Mehl und 10 g Butter eine Mehlbutter kneten und in den Kühlschrank stellen. Die Zwiebeln pellen und würfeln, Möhren und Porree putzen, waschen und grob würfeln. Den restlichen Knoblauch pellen und pürieren.

4. Für den Lammfond die Lammknochen und die Hautabschnitte im restlichen Butterschmalz kräftig bräunen. Das Gemüse und den Knoblauch mit anrösten. Das Tomatenmark und die restliche Butter zugeben, mit etwas Wasser ablöschen und einkochen lassen. Diesen Vorgang zweimal wiederholen, bis der Fond dunkelbraun geworden ist.

5. Die Kräuter und Gewürze zugeben, den Rotwein zugießen und so viel Wasser auffüllen, daß die Knochen eben bedeckt sind. Den Fond bei kleinster Hitze 2 Stunden leise kochen lassen. Von Zeit zu Zeit eventuell etwas Flüssigkeit ergänzen.

6. Den Lammfond durch ein Sieb in eine Sauteuse umgießen, mit der Mehlbutter binden, kräftig durchkochen lassen und mit Salz und Pfeffer würzen.

7. Die Lammkeule aus dem Ofen nehmen, etwa 10 Minuten ruhenlassen und auf Wiesenheu anrichten. Die Keule erst bei Tisch aufschneiden und die Sauce getrennt reichen.

Dazu passen Schupfnudeln.

Zubereitungszeit: 3 1/2 Stunden
Pro Portion (bei 6 Portionen)
53 g E, 33 g F, 5 g KH = 540 kcal (2264 kJ)

Thomas Platt hat das legendäre Kochbuch für Stümper geschrieben und haßt Rhabarber

20. SCHLESWIG-HOL

TEIN

Die schönste kulinarische Erfindung Schleswig-Holsteins ist das Lamm, das auf den Salzwiesen grasen darf: Johann Lafer serviert es in einer Salzkruste

20. SCHLESWIG-HOLSTEIN

Lammrücken in der Salzkruste

Zum Foto auf den Seiten 108/109

Für 4–6 Portionen:
1 kg Lammrückenfilet
Pfeffer (a. d. Mühle)
2–3 El Öl
150 g Schalotten
2–3 Knoblauchzehen
4 Thymianzweige
2 Rosmarinzweige
2 kg grobes Meersalz
10 Eiweiß
400 g Mehl
300 g grüner Speck (in dünnen Scheiben)

1. Das Fleisch parieren (Häute und Sehnen entfernen), in 2 gleich große Teile schneiden und mit Pfeffer würzen.

2. Das Öl in einer Pfanne (oder im Bräter) erhitzen. Das Fleisch darin rundherum anbraten. Die Schalotten und den Knoblauch vierteln und mit den Kräutern zum Fleisch geben und kurz mitbraten. Das Fleisch und die Kräuter herausnehmen, auf Küchenpapier abtropfen lassen und zugedeckt beiseite stellen.

3. Für den Salzteig das Meersalz mit Eiweiß und Mehl verrühren. Ein Backblech mit Backpapier auslegen und etwa ein Drittel des Salzteiges in Größe der Lammrückenfilets auf das Backpapier streichen.

4. Die Speckscheiben überlappend auf zwei passend große Stücke Klarsichtfolie legen. Die Lammrückenfilets mit den Kräutern darauf legen. Das Fleisch mit Hilfe der Folien wie einen Strudel in die Speckscheiben einwickeln.

5. Die Rollen ohne Folien nebeneinander auf den Salzteig legen. Den restlichen Salzteig gleichmäßig auf den Rollen verteilen und mit nassen Händen gut festdrücken: Das Fleisch muß hermetisch abgeschlossen sein.

6. Das Blech im vorgeheizten Backofen auf der 2. Leiste von unten einsetzen. Den Lammrücken im Salzteig bei 200 Grad (Gas 3, Umluft 175 Grad) 20 Minuten garen. Das Blech aus dem Ofen nehmen, den Lammrücken im Salzteig noch 5–10 Minuten ruhenlassen.

7. Den Salzteig mit einem Sägemesser der Länge nach aufschneiden und auseinanderbrechen. Das Fleisch herausheben. Speck und Kräuter entfernen. Das Fleisch in Medaillons schneiden und servieren.

Dazu gibt es ein Gartengemüse mit Sauerampfersauce und karamelisierte Kartoffeln.

Zubereitungszeit: 1 Stunde
Pro Portion (bei 6 Portionen)
32 g E, 37 g F, 0 g KH = 451 kcal (1889 kJ)

Gartengemüse mit Sauerampfersauce

Zum Foto auf den Seiten 108/109

Für 4–6 Portionen:
50 g geputzte Zuckerschoten
200 g Kohlrabistifte
300 g frische Erbsen
150 g Möhrenscheiben, Salz
1/2 l Lammfond (a. d. Glas)
60 g Sauerampferblätter
20 g Spinatblätter
70 g zimmerwarme Butter
Pfeffer (a. d. Mühle)

1. Zuckerschoten, Kohlrabi, Erbsen und Möhren nacheinander in Salzwasser blanchieren, in kaltem Wasser abschrecken, danach gut abtropfen lassen.

2. Den Lammfond bei milder Hitze offen auf etwa die Hälfte einkochen lassen.

3. Sauerampfer- und Spinatblätter waschen, gut abtropfen lassen (oder in der Salatschleuder gut trockenschleudern), danach fein zerschneiden. 50 g zimmerwarme Butter mit den geschnittenen Kräutern und 1 Prise Salz in ein hohes Gefäß geben und mit dem Mixstab pürieren.

4. Die restliche Butter in einer Pfanne erhitzen und das Gemüse darin andünsten und mit Pfeffer würzen.

5. Die Sauerampferbutter mit dem Mixstab in den reduzierten Lammfond einarbeiten (dabei darf die Sauce nicht mehr kochen).

6. Das Gemüse anrichten, die Sauerampfersauce darüber gießen und vorsichtig durchrühren.

Das Gartengemüse zum Lammrücken servieren.

Zubereitungszeit: 45 Minuten
Pro Portion (bei 6 Portionen)
5 g E, 10 g F, 10 g KH = 152 kcal (637 kJ)

Karamelisierte Kartoffeln

Zum Foto auf den Seiten 108/109

Für 4 Portionen:
800 g neue kleine Kartoffeln, Salz
6 El Sonnenblumenkernöl, 2 El Zucker
2 El grob gehackte Petersilie

1. Die Kartoffeln gründlich waschen und abbürsten, in kochendem Salzwasser bißfest garen, abgießen und gut ausdämpfen lassen. Die Kartoffeln längs halbieren.

2. Das Öl in einer Pfanne erhitzen. Die Kartoffeln darin goldbraun braten, danach in einem Sieb abtropfen lassen. Den Zucker in die heiße Pfanne geben und hellbraun schmelzen lassen. Die Kartoffeln wieder in die Pfanne geben und gut in dem geschmolzenen Zucker durchschwenken.

3. Die Kartoffeln mit Salz und Pfeffer würzen, mit der gehackten Petersilie bestreuen und zum Lammrücken servieren.

Zubereitungszeit: 40 Minuten
Pro Portion 3 g E, 15 g F, 34 g KH = 288 kcal (1207 kJ)

Sylter Royal: Gebackene Auste

Gebackene Austern auf kalter Gurkensauce

Zum Foto oben

Für 4 Portionen:
8 Sylter Austern
grobes Meersalz
Gurkensalat
200 g Salatgurke
150 g Joghurt
Salz, Pfeffer (a. d. Mühle)
1 El gehackter Dill
Zucker
1 Tl milder Senf
Backteig
1 El Mehl
1 Eigelb
Salz
1 El Öl
2 El Weißwein
1 Eiweiß
außerdem
250 g Butterschmalz zum Ausbacken
Pfefferkörner, Dillästchen und Zitronenscheiben zum Anrichten

1. Die Austern auslösen, auf Schalenreste kontrollieren und in eine Schüssel legen. Das Austernwasser durch einen Kaffeefilter auf die Austern gießen. Die Austern mit Klarsichtfolie zudecken und in den Kühlschrank stellen.

Büsumer Krabbenragout

Für 4 Portionen:
60 g Butter
40 g Mehl
3 Tl Fleischextrakt (z. B. von Liebig)
6 El Weinessig
3 El Zucker, 1/2 Tl Salz
1/4 Tl weißer Pfeffer (a. d. Mühle)
6 El Schlagsahne
500 g frisches Nordseekrabbenfleisch

1. 40 g Butter und das Mehl in einem Topf unter ständigem Rühren kräftig bräunen. 1/2 l Wasser zugießen, dabei ständig rühren, bis die Sauce kocht. Den Fleischextrakt, Weinessig und Zucker hineingeben. Die Sauce salzen, pfeffern und 15 Minuten leise kochen lassen.

2. Danach die Sahne und das Krabbenfleisch zugeben und erhitzen, aber nicht mehr kochen lassen – die Krabben würden sonst hart werden.

3. Die restliche Butter bräunen und erst unmittelbar vor dem Anrichten in das Krabbenragout rühren.

Dazu Reis und grünen Salat reichen.

Zubereitungszeit: 30 Minuten
Pro Portion 26 g E, 19 g F, 20 g KH = 358 kcal (1499 kJ)

Lübecker National

Für 6–8 Portionen:
750 g Schweinefleisch (aus der Keule)
2 Tl Salz
750 g Steckrüben
750 g Kartoffeln, 3 Zwiebeln
1/2 Tl weißer Pfeffer
4 El feingehackte Petersilie

1. Das Schweinefleisch in 1/2 l kaltem Wasser mit 1 Tl Salz aufsetzen, zum Kochen bringen, auf kleiner Hitze 1 Stunde leise sieden lassen.

2. Inzwischen Steckrüben, Kartoffeln und Zwiebeln schälen, bis auf die Zwiebeln waschen. Das Gemüse in etwa 1 cm dicke Stifte schneiden.

3. Das Fleisch aus der Brühe nehmen, dafür die Rüben, die Kartoffeln, die Zwiebeln und restliches Salz hineingeben. Alles zugedeckt 30 Minuten garen.

4. Das Fleisch in 2 cm große Würfel schneiden und wieder in die Brühe geben. Das Gericht pfeffern, kräftig durchrühren, mit Petersilie bestreuen und in einer Terrine anrichten.

Zubereitungszeit: 1 3/4 Stunden
Pro Portion (bei 8 Portionen)
23 g E, 6 g F, 16 g KH = 210 kcal (873 kJ)

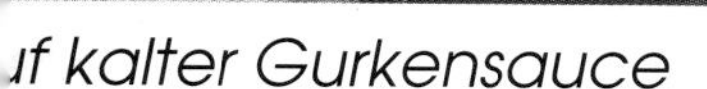

2. Die tieferen, unteren Austernschalen heiß auswaschen und trocknen. Das Meersalz auf eine Platte geben und die Austernschalen darauf verteilen.

3. Für den Gurkensalat die Gurke schälen, halbieren, entkernen und auf einer Haushaltsreibe grob raspeln.

4. Den Joghurt in einer Schüssel mit Salz, Pfeffer, Dill, Zucker, Senf und 2–3 El Austernwasser verrühren. Die Gurkenstücke etwas ausdrücken und unter die Joghurtsauce rühren. Den Gurkensalat in den Austernschalen anrichten.

5. Für den Backteig Mehl, Eigelb, Salz, Öl und Weißwein zu einem glatten Teig verrühren. Das Eiweiß mit 1 Prise Salz steif schlagen und unter den Teig heben.

6. Das Butterschmalz in einem Topf erhitzen. Jede Auster auf einen Holzspieß spießen, durch den Backteig ziehen, etwas abtropfen lassen und im heißen Butterschmalz goldgelb fritieren. Die gebackenen Austern kurz auf einem Küchentuch abtropfen lassen und auf den Gurkensalat in den Austernschalen setzen.

7. Die Platte mit Pfefferkörnern, Dillästchen und Zitronenscheiben garnieren. Die Austern sofort und heiß servieren.

Zubereitungszeit: 1 Stunde
Pro Portion 6 g E, 16 g F, 7 g KH = 199 kcal (831 kJ)

Christa Wagemann ist an der Westküste in Dithmarschen zu Hause. Sie bewirtet ihre Hotelgäste am liebsten mit Spezialitäten aus ihrer Heimat

21. PFALZ

In einer schaumigen, sanft gebräunten Hülle steckt ein eiskalter Kern: Das Ganze ist ein wunderschönes Dessert, heißt Überraschungs-Eisparfait und kommt aus der Pfalz

21. PFALZ

Überraschungs-Eisparfait

Zum Foto auf den Seiten 112/113

Für 6–8 Portionen:
Parfait
3 Eigelb (Gew.-Kl. 3)
100 g Zucker
Mark aus 1 Vanilleschote
4 El Rum (54%)
350 ml Schlagsahne
Biskuit
3 Eier (Gew.-Kl. 3), 50 g Zucker
abgeriebene Schale von 1/4 Zitrone (unbehandelt)
50 g Speisestärke, 50 g Mehl
50 g zimmerwarme Butter
2 El Rum (54 %)
Maronenpüree
200 g geschälte Maronen (TK oder frisch)
50 g Zucker, 100 ml Schlagsahne
30 ml Kirschwasser
5 Eiweiß (Gew.-Kl. 3)
150 g Zucker
Himbeerpüree
300 g Himbeeren
50 g gesiebter Puderzucker

1. Für das Parfait Eigelb mit dem Zucker über dem heißen Wasserbad cremig aufschlagen. Die Schüssel vom Wasserbad nehmen und die Creme mit Vanillemark und Rum würzen. Die Schüssel in Eiswasser stellen und die Creme kaltrühren. Die Sahne steif schlagen und mit einem Schneebesen unter die Creme rühren.

2. Eine Parfaitform (3/4 l Inhalt; 30 cm lang) mit Klarsichtfolie auslegen, die Parfaitmasse einfüllen, mit Klarsichtfolie zudecken und mindestens 8 Stunden im Gefriergerät durchfrieren lassen.

3. Für den Biskuit Eier, Zucker und Zitronenschale über dem heißen Wasserbad cremig aufschlagen. Die Schüssel vom Wasserbad nehmen. Speisestärke und das Mehl dazusieben und unterrühren. Zum Schluß die zimmerwarme, fast flüssige Butter unterrühren.

4. Ein Backblech mit Backpapier auslegen. Den Biskuitteig daraufstreichen (30x30 cm). Den Teig im vorgeheizten Backofen auf der 2. Leiste von unten bei 200 Grad (Gas 3, Umluft 180 Grad) 7–9 Minuten backen.

5. Den Biskuit mit dem Backpapier vom Blech lösen und umgekehrt auf frisches Backpapier stürzen. Das Backpapier vorsichtig vom Teig lösen. Den Teig mit Rum einpinseln. Das Backpapier wieder auf den Teig legen, damit er nicht austrocknet.

6. Die Maronen mit Zucker und Sahne bei ganz milder Hitze in 20–30 Minuten einkochen lassen und anschließend mit Kirschwasser würzen.

7. Das Backpapier von dem Biskuitteig nehmen. Das Maronenpüree durch die Kartoffelpresse auf den Biskuit spritzen und mit einer Palette gleichmäßig verteilen. Das Püree etwas abkühlen lassen.

8. Das Eisparfait aus der Form stürzen und die Folie entfernen. Das Parfait auf ein Ende vom Biskuit legen und mit Hilfe des Backpapiers in den Biskuit einrollen. Die Rolle in das Gefriergerät stellen.

9. Das Eiweiß steif schlagen, dabei nach und nach den Zucker einrieseln lassen. Den Eischnee noch etwa 2–3 Minuten weiterschlagen und dann in einen Spritzbeutel mit Sterntülle Nr. 10 füllen.

10. Den Backofengrill einschalten. Die Biskuitrolle aus dem Gefriergerät nehmen und auf eine Platte setzen. Zuerst die Enden der Rolle zuspritzen, dann die Rolle selbst in langen Bahnen mit dem Eischnee überziehen. Zum Schluß eine Spirale aufspritzen.

11. Die Platte mit der Rolle vorsichtig unter den Grill halten und dabei seitlich etwas kippen, damit alle Seiten des Überraschungs-Eisparfaits gleichmäßig gebräunt werden.

12. 250 g Himbeeren und den Puderzucker mit dem Schneidstab kurz pürieren und durch ein feines Sieb streichen.

13. Das Parfait mit einem in heißes Wasser getauchten Messer in Scheiben schneiden. Die Scheiben mit dem Himbeermark und den restlichen Himbeeren auf gekühlten Desserttellern anrichten und sofort eiskalt servieren.

Zubereitungszeit: 1 1/2 Stunden (plus Zeit zum Kühlen)
Pro Portion (bei 8 Portionen)
13 g E, 28 g F, 74 g KH = 628 kcal (2633 kJ)

Scharf ummantelte Ochsenbru

Gepökelte Ochsenbrust im Meerrettichmantel mit Thymianzwiebeln

Zum Foto oben

Für 4–6 Portionen:
Ochsenbrust
1 Bund grob gewürfeltes Suppengemüse
1 halbierte, geröstete Zwiebel
10 Pfefferkörner
5 Wacholderbeeren, 2 Lorbeerblätter
1 kg mild gepökelte Ochsenbrust
Zwiebelsauce
60 g Butter
300 g weiße Zwiebelringe
20 g Zucker, 1/8 l Fleischbrühe
1/8 l Weißwein, 1 Bund Thymian
Backteig
4 Eigelb
2 El frisch geriebener Meerrettich
2 El Meerrettich (a. d. Glas), 125 g Mehl
100 ml Weißwein
Salz, Pfeffer (a. d. Mühle)
Zucker, 1 El gehackte Petersilie
3 Eiweiß, 250 g Butterschmalz
3 El Mehl zum Wenden

1. In einem Topf Wasser mit Suppengemüse, Zwiebel und Gewürzen aufkochen. Die Ochsenbrust hineinlegen und bei milder Hitze offen etwa 1 1/2 Stunden garen. Dabei immer wieder die Trübstoffe gründlich abschöpfen.

2. Für die Thymianzwiebeln 30 g Butter in einem Topf zerlassen. Die Zwiebelringe darin glasig dünsten, mit dem Zucker bestreuen und leicht karamelisieren lassen. Die Fleischbrühe und den Weißwein zugießen. 1/2 Bund Thymian zugeben. Von den restlichen Thymianzweigen die Blättchen abzupfen und beiseite legen. Die Zwiebeln bei milder Hitze offen etwa 10–15 Minuten garen. Die Thymianzweige herausnehmen. Die Sauce bis kurz vor dem Servieren beiseite stellen.

3. Für den Backteig Eigelb, Meerrettich, Mehl, Weißwein, Salz, Pfeffer, 1 Prise Zucker und Petersilie verrühren. Das Eiweiß mit 1 Prise Salz steif schlagen und unter den Teig heben.

4. Die Ochsenbrust aus der Brühe nehmen und etwas abkühlen lassen, danach quer zur Faser in 1/2 cm dicke Scheiben schneiden.

5. Das Butterschmalz in einer Pfanne erhitzen. Die Fleischscheiben im Mehl wenden, danach einzeln durch den Backteig ziehen, sofort im Butterschmalz von beiden Seiten goldgelb ausbacken, herausnehmen und auf einem Küchentuch abtropfen lassen.

6. Die Thymianzwiebeln noch einmal aufkochen. Die restliche kalte Butter zum Binden einrühren und mit den beiseite gestellten Thymianblättchen würzen.

Die Ochsenbrustscheiben mit den Thymianzwiebeln servieren.

Ein Petersilienwurzel-Püree dazu reichen.

Zubereitungszeit: 2 Stunden
Pro Portion (bei 6 Portionen)
33 g E, 64 g F, 29 g KH = 829 kcal (3471 kJ)

...uf milden Thymianzwiebeln

Petersilienwurzel-Püree

Zum Foto oben

Für 4–6 Portionen:
300 g Kartoffeln
300 g Petersilienwurzeln
Salz
60 ml Milch
100 ml Schlagsahne
Pfeffer (a. d. Mühle)
frisch geriebene Muskatnuß
2 El geschlagene Sahne

1. Die Kartoffeln und Petersilienwurzeln schälen, waschen und in 1 cm kleine Würfel schneiden.

2. Das Gemüse in etwa 1/4 l ganz leicht gesalzenem Wasser in 10–15 Minuten halb zugedeckt bißfest garen, das Wasser muß zum Schluß verkocht sein.

3. Milch und Sahne zugießen und ganz langsam bei milder Hitze um die Hälfte einkochen lassen.

4. Das Gemüse mit dem Mixstab nur ganz kurz pürieren (sonst wird es zäh und schleimig), mit Salz, Pfeffer und Muskat würzen. Zum Schluß die geschlagene Sahne unterheben.

Das Petersilienwurzel-Püree zur gepökelten Ochsenbrust im Meerrettichmantel servieren.

Zubereitungszeit: 45 Minuten
Pro Portion (bei 6 Portionen)
3 g E, 7 g F, 9 g KH = 109 kcal (455 kJ)

Pfälzer Saumagen

Für 6–8 Portionen:
1 Magen vom Jungschwein
(vom Fleischer säubern lassen)
Salz
500 g Schweinehack
2 Semmeln (eingeweicht und ausgedrückt)
1 Tasse angedünstete Zwiebelwürfel
3 Eier (Gew.-Kl. 3)
125 g gekochte, gewürfelte Kartoffeln
125 g gegarte, gewürfelte Eßkastanien
1–2 El gehackter Majoran
1–2 EL gehackte Petersilie
Salz, Pfeffer (a. d. Mühle)
1 El Schweineschmalz
1/8 l Pfälzer Wein

1. Den Schweinemagen über Nacht wässern. Dann mehrmals dick mit Salz einreiben und die Schleimschicht damit entfernen. Immer wieder unter fließendem Wasser abspülen.

2. Hackfleisch, Semmeln, Zwiebeln, Eier, Kartoffeln, Kastanien, Kräuter und Gewürze zu einer Farce verkneten. Den Saumagen damit füllen (aber nicht zu voll, sonst platzt er) und mit einem kräftigen Baumwollfaden zunähen.

3. Das Schweineschmalz in einem Bräter erhitzen und den Saumagen darin vorsichtig rundherum anbraten. Wenn der Magen von allen Seiten braun ist, nach und nach immer wieder Wasser zugießen und einkochen lassen. Nach Ende der Garzeit (etwa 2 Stunden) den Fond mit Wein ablöschen.

Den Saumagen bei Tisch aufschneiden. Weinkraut und derbes Brot dazu reichen.

Zubereitungszeit: 3 Stunden (plus Zeit zum Wässern)
Pro Portion (bei 8 Portionen)
21 g E, 22 g F, 13 g KH = 336 kcal (1408 kJ)

Viele Saumägen, viele Rezepte

Die Pfälzer kennen für ihren Saumagen natürlich viele Rezepte. Eine andere Garmethode ist die: Den gefüllten Magen gut 3 Stunden in heißem Wasser (etwa 80 Grad) sieden, aber nicht kochen lassen. Er muß dabei frei im Wasser schwimmen und öfter umgedreht werden. Danach kann er eventuell noch knusprig nachgebraten werden.

Pfälzer Weinkraut

Für 4 Portionen:
3 gewürfelte Zwiebeln
2 El Gänseschmalz, 1 großer, süßer Apfel
500 g Sauerkraut, 8 Wacholderbeeren
8 Pfefferkörner, 3 Lorbeerblätter
1/4 l Weißwein

1. Die Zwiebeln im Schmalz glasig braten. Den Apfel in Stifte schneiden und unterrühren. Das Sauerkraut etwas zerzupfen und zugeben. Mit Wacholder, Pfeffer und Lorbeer würzen. 1 Tasse heißes Wasser zugießen. Das Kraut bei milder Hitze zugedeckt 45 Minuten dünsten.

2. Den Deckel abnehmen, den Wein zugießen und etwas einkochen lassen. Vor dem Servieren die Lorbeerblätter entfernen.

Das Weinkraut zum Saumagen servieren.

Zubereitungszeit: 1 Stunde
Pro Portion 3 g E, 13 g F, 9 g KH = 183 kcal (762 kJ)

Dippehas

Für 4–6 Portionen:
1 Hase (oder 1 Kaninchen, frisch geschlachtet und vom Wildhändler bratfertig vorbereitet)
500 g frischer Schweinebauch
3 El Öl, 1 El Butter
6 Zwiebeln
Salz, Pfeffer (a. d. Mühle)
1 l Rotwein
1 Tasse Hasenblut
125 g Schwarzbrot
3 Lorbeerblätter, 3 Gewürznelken
8 Wacholderbeeren
1/2 Tl Korianderkörner

1. Den Hasen in 8–12 Teile zerlegen. Den Schweinebauch würfeln und im Schmortopf (oder im Bräter) in Öl und Butter anbraten. Die Zwiebeln grob würfeln, zugeben und glasig dünsten. Die Hasenteile salzen und pfeffern und kurz mitbraten.

2. Den Rotwein mit dem Blut mischen und zugießen. Das Schwarzbrot zerbröseln, mit den Gewürzen unterrühren und einmal aufkochen lassen. Den Schmortopf fest verschließen.

3. Den Dippehas im vorgeheizten Backofen auf der 2. Leiste von unten bei 200 Grad (Gas 3, Umluft 180 Grad) 1–1 1/4 Stunden schmoren. Den Dippehas im Topf servieren.

Dazu passen Klöße, zum Beispiel Hoorige Knepp (Seite 157).

Zubereitungszeit: 2 Stunden
Pro Portion (bei 6 Portionen)
72 g E, 33 g F, 13 g KH = 689 kcal (2881 kJ)

E&T: Es geht schneller, wenn einige Hasenteile, zum Beispiel der Rücken, in einer zweiten Pfanne angebraten werden. Wenn Sie es so machen, müssen Sie den Bratensatz danach in der Pfanne mit etwas Wasser oder Wein loskochen und zu den Hasenteilen in den Schmortopf geben.

22. RHEINHESSEN

Gefülltes Schweineschnitzel mit warmem Spargelsalat: Weil das Weinland Rheinhessen auch ein sonniger Obst- und Gemüsegarten ist

Gefüllte Schweineschnitzel mit warmem Spargelsalat

Zum Foto auf den Seiten 116/117

Für 4 Portionen:
Schnitzel
4 Schweineschnitzel (à 150 g)
Salz, Pfeffer (a. d. Mühle)
1 El Basilikumblätter
1 El Thymianblättchen
1 El Kerbelblätter
1 El glatte Petersilienblätter
50 ml Öl
100 g gewürfelter Blauschimmelkäse
170 g Semmelbrösel
120 g Butterschmalz zum Braten
100 g Mehl zum Panieren
3 Eiweiß
Salat
600 g weißer Spargel
100 ml frisch gepreßter Orangensaft
200 ml Fleischbrühe
60 g Butter
Salz
9 El Öl
6 El Weißweinessig
2 El Tomatenwürfel
1–2 El Basilikumstreifen
Zucker
Pfeffer (a. d. Mühle)

1. Die Schnitzel unter Klarsichtfolie flachklopfen. Mit einem spitzen Messer gegenüber der Fettkante tiefe Taschen einschneiden. Das Fleisch innen und außen mit Salz und Pfeffer würzen.

2. Für die Füllung die Kräuter im Öl grob pürieren, mit dem Käse und 70 g Semmelbröseln mischen und mit Salz würzen. Die Farce in die Taschen geben, die Schnitzel flachdrücken und die Ränder dabei fest zusammendrücken. Die Schnitzel zugedeckt kühl stellen.

3. Den Spargel schälen, in 3 cm lange Stücke schneiden, kurz waschen und tropfnaß in eine Pfanne geben. Orangensaft und Brühe zugießen, die Butter dazugeben und salzen. Den Spargel einmal aufkochen lassen und zugedeckt bei milder Hitze 6–8 Minuten garen.

4. Inzwischen das Butterschmalz in einer großen Pfanne erhitzen. Die Schnitzel zuerst in Mehl wenden, überschüssiges Mehl abklopfen. Die Schnitzel durch das verquirlte Eiweiß ziehen und von beiden Seiten in die restlichen Semmelbrösel drücken. Die panierten Schnitzel bei milder Hitze von jeder Seite langsam 4–5 Minuten braten.

5. Öl und Essig über den Spargel gießen. Tomaten und Basilikum untermischen, mit 1 Prise Zucker und Pfeffer würzen.

Den warmen Spargelsalat zu den gefüllten Schnitzeln servieren.

Dazu passen junge Kartoffeln, die mit gebürsteter Schale in Salzwasser gekocht werden.

Zubereitungszeit: 1 Stunde
Pro Portion 48 g E, 72 g F, 38 g KH = 984 kcal (4125 kJ)

Rheinhessische Schaumschlägerei: eine gestreifte Torte, mit Se

Gestreifte Sektschaumtorte mit Eierlikörguß

Zum Foto oben

Für 12 Stücke:
Biskuit
100 g Bitterkuvertüre
6 Eier (Gew.-Kl. 3, getrennt)
260 g Zucker, Salz
1/2 El abgeriebene Zitronenschale (unbehandelt)
100 g Speisestärke
160 g Mehl
Sektcreme
8 Blatt weiße Gelatine
6 Eigelb (Gew.-Kl. 3)
150 g Zucker, 300 ml Sekt
1/2 El abgeriebene Zitronenschale (unbehandelt)
300 ml Schlagsahne, 2 Eiweiß (Gew.-Kl. 3)
Guß
3 Blatt weiße Gelatine
250 ml Eierlikör

1. Eine Springform (28 cm Ø) und ein Backblech mit Backpapier auslegen. Den Backofen auf 200 Grad (Gas 3, Umluft 180 Grad) vorheizen. Die Kuvertüre fein und gleichmäßig zerkleinern und in einem mittelheißen Wasserbad schmelzen.

2. Inzwischen das Eigelb mit 160 g Zucker, 1 Prise Salz und 6 El lauwarmem Wasser in einem Schneekessel über einem heißen Wasserbad dick-schaumig aufschlagen. Die Masse im Eiswasserbad kalt schlagen, die Zitronenschale unterrühren.

3. Das Eiweiß mit dem restlichen Zucker sehr steif schlagen, ein Drittel davon auf die Eigelbmasse geben. Stärke und Mehl mischen, darübersieben und mit einem großen Schneebesen unterziehen. Den restlichen Eischnee mit einem Spatel vorsichtig unterheben.

4. Den Biskuitteig halbieren. Unter eine Hälfte die geschmolzene Kuvertüre mischen. Hellen und dunklen Teig in je einen Spritzbeutel mit Lochtülle Nr. 8 füllen.

5. Mit dem weißen Teig Streifen im Abstand der Lochtüllengröße auf den Boden der Springform spritzen. Mit dem dunklen Teig die Zwischenräume ausfüllen. Für den Tortenrand 2 Bänder von etwa 8 cm Höhe und 45 cm Länge in weißen und dunklen Streifen auf das Backblech spritzen.

6. Die Springform im vorgeheizten Backofen auf die 1. Leiste (auf dem Rost) und das Backblech auf die 2. Leiste von unten setzen. Die Biskuits 6–8 Minuten backen und auf Kuchengittern abkühlen lassen.

d Eierlikör gefüllt

7. Für den Sektschaum die Gelatine in kaltem Wasser einweichen. Das Eigelb mit 120 g Zucker und 150 ml Sekt über einem heißen Wasserbad dick-cremig aufschlagen. Die Gelatine ausdrücken, in der Creme auflösen und die Zitronenschale unterrühren. Die Creme vom Wasserbad nehmen, anschließend in ein Eiswasserbad stellen.

8. Die Biskuitstreifen auf dem Backblech auf Tortenrandhöhe zuschneiden, vom Papier lösen. Die Ränder (mit der glatten Seite nach außen) in die Springform setzen.

9. Die Creme mit dem restlichen Sekt glattrühren. Sahne und Eiweiß mit je 15 g Zukker getrennt steif schlagen und nacheinander unterheben. Den Schaum in die Springform gießen und 3 Stunden im Kühlschrank gelieren lassen.

10. Für den Guß die Gelatine in kaltem Wasser einweichen, tropfnaß bei milder Hitze auflösen und vom Herd nehmen. Den Likör unterrühren. Weiterrühren, bis die Mischung abgekühlt ist. Den Eierlikörguß vorsichtig auf die Oberfläche des Sektschaums gießen, kühl stellen und in 1 Stunde fest werden lassen.

Die Torte kalt servieren.

Zubereitungszeit: 2 1/4 Stunden (plus Kühlzeiten)
Pro Stück 12 g E, 17 g F, 64 g KH = 496 kcal (2075 kJ)

Ingelheimer Spargel mit Buttersauce

Für 4 Portionen:
2 kg Spargel
Salz
Zucker
4 Eigelb
2 Tl Mehl
4 El Schlagsahne
1 Tl Essig
frisch geriebene Muskatnuß
2 El kalte Butter

1. Den Spargel großzügig schälen und die holzigen Enden abschneiden. Die Spargelstangen portionsweise mit Küchengarn zusammenbinden.

2. Den Spargel in Wasser legen, mit Salz und 1 Prise Zucker würzen und zugedeckt 12–15 Minuten garen. Den Spargel mit der Schaumkelle aus dem Topf nehmen, warm stellen und noch etwas abtropfen lassen.

3. Eigelb und Mehl in einem Topf verrühren, die Sahne und 1/4 l Spargelbrühe zugießen und bei mittlerer Hitze mit dem Schneebesen bis kurz vor dem Kochen aufschlagen. Die Sauce mit Essig, Salz und Muskat abschmecken. Zum Schluß die Butter in kleinen Flöckchen unterarbeiten.

Die Buttersauce zum Ingelheimer Spargel servieren.

Zubereitungszeit: 30 Minuten
Pro Portion 11 g E, 13 g F, 10 g KH = 202 kcal (854 kJ)

Bundkuchen oder Rodonkuchen

Für 16–18 Stücke:
125 g weiche Butter
100 Zucker
6 Eigelb (Gew.-Kl. 3)
42 g Hefe (1 Würfel)
125 ml Milch
2 El Rosenwasser (a. d. Apotheke)
500 g Mehl
Fett und Mehl für die Form
25 g Puderzucker
1 Tl Zimtpulver zum Bestreuen

1. Die Butter mit dem Zucker schaumig rühren. Eigelb nach und nach unterrühren. Die Hefe in der lauwarmen Milch auflösen und zusammen mit dem Rosenwasser in die Masse geben. Das Mehl darübersieben und den Teig gut durchkneten.

2. Eine Napfkuchenform (2 l Inhalt) ausfetten und mit Mehl ausstreuen. Den Hefeteig hineingeben und zugedeckt an einem warmen Ort 1 Stunde gehen lassen.

3. Den Kuchen im vorgeheizten Backofen auf der 2. Leiste von unten bei 160 Grad (Gas 1–2, Umluft 140 Grad) 1 Stunde backen.

4. Den Kuchen etwas abkühlen lassen, aus der Form stürzen, mit Puderzucker bestäuben und mit Zimt bestreuen und servieren.

Zubereitungszeit: 1 1/4 Stunde (plus Ruhezeit für den Teig)
Pro Stück (bei 18 Stücken)
5 g E, 9 g F, 27 g KH = 214 kcal (896 kJ)

Saure Grumbeerebrieh

Für 4 Portionen:
1 kg Kartoffeln (mehligkochend)
125 g Porree
250 g Sellerieknolle
50 g Zwiebeln
1 Lorbeerblatt
2–3 Gewürznelken
2 Majoranzweige
1 l Gemüsebrühe
2 El Weißweinessig
Salz, Pfeffer (a. d. Mühle)
2 El gehackte Petersilie

1. Die Kartoffeln schälen und grob würfeln. Porree, Sellerie und die Zwiebel putzen und ebenfalls würfeln. Das Gemüse mit Lorbeer, Nelken und Majoran in der Gemüsebrühe bißfest garen.

2. Das Gemüse (ohne die Majoranzweige) mit dem Pürierstab im Topf pürieren und durch ein Sieb in einen anderen Topf umgießen. Die Suppe herzhaft mit Essig, Salz und Pfeffer abschmecken, die Petersilie unterrühren und servieren.

Zur sauren Kartoffelsuppe gerösteten Bauchspeck oder eine knusprige Bratwurst reichen.

Zubereitungszeit: 1 Stunde
Pro Portion 6 g E, 1 g F, 33 g KH = 172 kcal (714 kJ)

Bratwurstkranz

Für 4 Portionen:
300 g Mehl
20 g Hefe
1 Tl Zucker
1/8 l lauwarme Milch
1 Ei
50 g Butter
Mehl zum Bearbeiten
500 g grobe Bratwurst (möglichst mit Majoran gewürzt)
Fett für die Form

1. Das Mehl in eine Backschüssel geben, in die Mitte eine Mulde drücken. Dort hinein die Hefe bröckeln, Zucker und 4 El lauwarme Milch zugeben und mit wenig Mehl zum Vorteig verrühren (der Vorteig entfällt, wenn Trockenhefe genommen wird). Den Vorteig mit einem Tuch zudecken und an einem warmen Platz 30 Minuten gehen lassen.

2. Die restliche Milch, das Ei und die weiche Butter mit dem Vorteig verkneten. Weiterkneten, bis der Teig glatt ist und sich vom Schüsselrand löst. Den Teig zu einer Kugel formen und zugedeckt noch einmal 50 Minuten gehen lassen.

3. Die Arbeitsfläche leicht mit Mehl bestäuben, den Teig darauf zu einem langen Rechteck ausrollen. Die Bratwürste der Länge nach auflegen. Den Teig über den Würsten zusammenklappen. Die Teigrolle in eine gefettete Kranzform legen und zum Ring schließen.

4. Die Form im vorgeheizten Backofen auf die 2. Leiste von unten stellen. Den Bratwurstkranz bei 190 Grad (Gas 2–3, Umluft bei 170 Grad) etwa 50 Minuten backen. Die Kruste muß knusprig braun sein.

Pfälzer Weinkraut zum Bratwurstkranz reichen.

Zubereitungszeit: 1 1/2 Stunden (plus Ruhezeit für den Teig).
Pro Portion 32 g E, 56 g F, 57 g KH = 861 kcal (3602 kJ)

Mainzer Spundekäs

Für 4 Portionen:
250 g Magerquark
20 g Butter
1 Zwiebel
125 g saure Sahne
1 Tl edelsüßes Paprikapulver
Salz

1. Den Quark im Sieb gut abtropfen lassen. Die Butter zerlassen und abkühlen lassen. Inzwischen die Zwiebel pellen und sehr fein würfeln.

2. Die Butter mit den Zwiebelwürfeln und der sauren Sahne verrühren. Den Quark durch das Sieb dazustreichen und gut verrühren. Den angemachten Quark mit Paprikapulver und Salz würzen.

Zum Spundekäs paßt Bauernbrot.

Zubereitungszeit: 20 Minuten
Pro Portion 10 g E, 7 g F, 4 g KH = 124 kcal (519 kJ)

Kerscheplotzer, auch Kirschenmichel genannt

Für 4 Portionen:
8 altbackene Brötchen
1/2 l Milch
50 g Butter
75 g Zucker
4 Eier (getrennt, Gew.-Kl. 3)
abgeriebene Schale von 1 Zitrone (unbehandelt)
1 kg entsteinte Süßkirschen
Salz
Fett für die Form
Butter zum Gratinieren
Zimtpulver

1. Die Brötchen in dünne Scheiben schneiden und in der lauwarmen Milch einweichen.

2. Butter mit Zucker, Eigelb und Zitronenschale schaumig schlagen, die Brötchen-Milch-Masse unterrühren. Die Kirschen zugeben. Das Eiweiß mit 1 Prise Salz steif schlagen und vorsichtig unterheben.

3. Die Masse in eine gefettete Auflaufform geben, mit Butterflöckchen belegen und mit Zimt bestreuen.

4. Den Auflauf im vorgeheizten Backofen auf der 2. Leiste von unten bei 200 Grad (Gas 3, Umluft bei 180 Grad) 45 Minuten backen.

Den Kerscheplotzer in der Form servieren und heiß essen.

Zubereitungszeit: 1 Stunde
Pro Portion 20 g E, 30 g F, 95 g KH = 738 kcal (3087 kJ)

Winzersalat

Für 4 Portionen:
400 g Kasseler (ohne Knochen)
250 g Weinsauerkraut
250 g blaue und weiße Weintrauben
3 El Weißweinessig
Zucker
Salz, Pfeffer (a. d. Mühle)
5 El Öl

1. Das Fleisch in einen Topf geben, mit Wasser bedecken, zugedeckt 30 Minuten garen, herausnehmen und abkühlen lassen.

2. Das abgekühlte Fleisch in Würfel schneiden. Das Sauerkraut abtropfen lassen. Die Trauben waschen, halbieren und entkernen.

3. Trauben, Fleisch und zerzupftes Sauerkraut in einer großen Schüssel mischen.

4. Essig mit 1 Prise Zucker, Salz und Pfeffer verrühren. Das Öl unterschlagen. Die Sauce über den Salat gießen, gut durchheben und zugedeckt 2 Stunden durchziehen lassen.

Dazu paßt Bauernbrot.

Zubereitungszeit: 1 Stunde (plus Zeit zum Durchziehen)
Pro Portion 23 g E, 19 g F, 11 g KH = 310 kcal (1297 kJ)

Zwiebelkuchen

Für 20 Stücke:
Teig
375 g Mehl, 20 g Hefe
1/8 l lauwarme Milch
1 Tl Zucker, 1 Ei (Gew.-Kl. 3)
Salz, Pfeffer (a. d. Mühle)
50 g zerlassene, abgekühlte Butter
Fett für das Blech
Belag
700 g Zwiebeln
200 g Dörrfleisch
(oder durchwachsener Speck)
200 g saure Sahne, 250 g Schmand
4 Eier (Gew.-Kl. 3)
1/2 Tl grob zerdrückte Kümmelkörner
frisch geriebene Muskatnuß

1. Das Mehl in eine Schüssel sieben und in der Mitte eine Mulde eindrücken. Die Hefe in der Milch auflösen und in die Mulde gießen. Den Zucker darüberstreuen und mit etwas Mehl vom Rand bedecken. Den Teig zugedeckt an einem warmen Ort 20 Minuten gehen lassen.

2. Den Teig mit dem Ei, 1 Prise Salz, Pfeffer und der Butter gut verkneten, zugedeckt noch einmal 20 Minuten gehen lassen.

3. Den Teig durchkneten und auf einer gefetteten Saftpfanne ausrollen. Wieder zudecken und 30 Minuten gehen lassen.

4. Inzwischen für den Belag die Zwiebeln pellen und in Ringe schneiden. Den Speck in Würfel oder feine Streifen schneiden. Beides glasig dünsten und auf dem Teig verteilen. Saure Sahne, Schmand und Eier verrühren, mit Pfeffer, Kümmel und Muskat würzen und auf die Speckzwiebeln gießen.

5. Den Zwiebelkuchen im vorgeheizten Backofen auf der 1. Einschubleiste von unten bei 200 Grad (Gas 3, Umluft 180 Grad) 30–35 Minuten backen, bis der Belag leicht gebräunt ist.

Zubereitungszeit: 1 Stunde (plus Ruhezeiten für den Teig)
Pro Stück 6 g E, 16 g F, 17 g KH = 231 kcal (968 kJ)

E&T: Damit der Zwiebelkuchen eine schöne knusprige Kruste bekommt, wird er in den letzten 5 Minuten auf der 2. Leiste von oben zu Ende gebacken (bei Umluft ist das nicht unbedingt nötig).

Speckkuchen

Für 20 Stücke:
Hefeteig
Zutaten wie beim Zwiebelkuchen
Belag
500 g Dörrfleisch (oder durchwachsener Speck)
3–4 Zwiebeln
2 Becher saure Sahne (à 125 g)
4 Eier
Salz, Pfeffer (a. d. Mühle)

1. Den Hefeteig wie beim Zwiebelkuchen bis Nr. 3 einschließlich zubereiten.

2. Das Dörrfleisch in feine Streifen schneiden. Die Zwiebeln pellen und würfeln. Beides in einer Pfanne 5 Minuten andünsten. Speck und Zwiebeln auf dem Teig verteilen.

3. Die saure Sahne mit den Eiern verquirlen, mit Salz und Pfeffer würzen und auf den Belag gießen.

4. Den Speckkuchen im vorgeheizten Backofen auf der 2. Leiste von unten bei 200 Grad (Gas 3, Umluft 180 Grad) 25 Minuten backen.

Zubereitungszeit: 45 Minuten (plus Ruhezeiten für den Teig)
Pro Stück 6 g E, 25 g F, 15 g KH = 306 kcal (1279 kJ)

Rheinhessisches Winzerbüffet, wie es im magischen Dreieck zwischen Mainz, Bad Kreuznach und Worms aufgetischt wird

23. NAHE/MOSEL

Aus dem waldigen Bergland zwischen Nahe und Mosel:
Lafers Bauernsalat mit frischem Gemüse,
saftigem Putenfleisch und einer herzhaften Kümmelsauce

23. NAHE/MOSEL

Lafers Bauernsalat

Zum Foto auf den Seiten 122/123

Für 4 Portionen:
4 Eier
100 g Frühlingszwiebeln (nur die hellen Teile)
100 g Staudensellerie
100 g rote Paprikaschote
50 g Zwiebeln
50 g durchwachsener Speck
100 g Champignons
1 El Kümmelkörner
400 g Putenbrust
50 g Butterschmalz
Salz, Pfeffer (a. d. Mühle)
50 ml Weißweinessig
100 ml Geflügelfond (a. d. Glas)
80 ml Sonnenblumenkernöl
1 El Kerbelblättchen
30 g Butter
4 Scheiben Bauernbrot (à 30 g)
1 El Thymianblättchen
1 El Majoranblättchen

1. Die Eier kochen, abschrecken, pellen und beiseite stellen.

2. Frühlingszwiebeln putzen und in kleine Stücke schneiden. Staudensellerie und Paprika putzen, Paprika entkernen; beides in feine Streifen schneiden. Zwiebel pellen. Speck und Zwiebel fein würfeln. Champignons putzen und vierteln. Kümmel in einem Mörser grob zerstoßen.

3. Frühlingszwiebeln, Staudensellerie und Paprika in einer großen Schüssel mischen.

4. Das Putenfleisch in feine Streifen schneiden. Das Butterschmalz in einer Pfanne erhitzen. Das Putenfleisch in 3–5 Minuten goldbraun braten, mit Salz und Pfeffer würzen. Das Fleisch mit wenig Bratfett unter das Gemüse mischen.

5. Die Speckwürfel in der gleichen Pfanne anbraten. Die Zwiebeln mit den Champignons zugeben und 3 Minuten mitbraten. Den Kümmel zugeben, kurz mitbraten, mit dem Essig und dem Fond ablöschen. Die Marinade 2–3 Minuten einkochen lassen, vom Herd nehmen und etwas abkühlen lassen. Das Öl unterrühren. Die Marinade salzen, pfeffern, über den Salat gießen und gut durchheben.

6. Die Eier halbieren, auf dem Salat anrichten und mit Kerbel garnieren.

7. Die Butter in einer Pfanne erhitzen. Die Brotscheiben darin von beiden Seiten anrösten. Zum Schluß Thymian und Majoran unterschwenken. Das Brot zum Salat servieren.

Zubereitungszeit: 40 Minuten
Pro Portion 34 g E, 58 g F, 18 g KH = 726 kcal (3041 kJ)

Aus dem Weinland: ein Auslesegelee zum Geflügelleberparfa

Geflügelleberparfait mit Auslesegelee und Traubensalat

Zum Foto oben

Für 4–6 Portionen:
Parfait
135 g Butter
150 g grüner Speck in dünnen Scheiben
125 g Geflügelleber, 1 Ei (Gew.-Kl. 3)
1 gepellte Knoblauchzehe
2 El roter Portwein, 2 El Weinbrand
Zucker
Salz, Pfeffer (a. d. Mühle)
Gelee
5 Blatt weiße Gelatine
35 ml roter Portwein, 1 Tl Zucker
350 ml Weißwein (Auslese von der Mosel oder Nahe)
Salat
200 g grüne und blaue Trauben
1 Apfel, 3 El Walnußöl
3 El Balsamessig
30 g gehackte Walnußkerne
Salz, Zucker

1. Eine Parfaitform (3/4 l Inhalt) mit 10 g Butter ausreiben und mit Klarsichtfolie auslegen. Die Form der Länge nach mit den Speckscheiben so auslegen, daß sie ein wenig über den Rand hängen. Die Form jetzt zum Durchkühlen in den Kühlschrank geben.

2. Die Geflügelleber mit dem Ei im Mixer fein pürieren. Knoblauch, Portwein, Weinbrand, Zucker, Salz und Pfeffer untermixen. Die restliche Butter in einem Topf lauwarm auflösen. Die Butter langsam in den Mixer einlaufen lassen und gut durchmixen. Die Leberfarce anschließend durch ein feines Sieb streichen und in die ausgelegte Form gießen. Den Speck, der seitlich überlappt, auf die Farce legen und mit der Folie zudecken.

3. Wasser in einem Bräter auf 80 Grad erhitzen. Die Form hineinstellen. Den Bräter im vorgeheizten Backofen auf die 2. Leiste von unten stellen. Das Parfait bei 150 Grad (Gas 1, Umluft bei 110 Grad) 25 Minuten garen. Wichtig: Die Wassertemperatur muß konstant 80 Grad betragen! Das Parfait aus dem Wasserbad nehmen und anschließend mindestens 5 Stunden im Kühlschrank fest werden lassen.

4. Die Gelatine in kaltem Wasser einweichen. Den Portwein erwärmen. Zucker und die ausgedrückte Gelatine darin auflösen. Den Weißwein zugießen und gut verrühren.

5. Das Parfait vorsichtig aus der Form nehmen. Die Form säubern und gut trocknen. Folie und Speck vorsichtig vom Parfait entfernen.

6. Einen Bräter mit Eiswasser füllen. Die Form in das Eiswasser stellen. Das Gelee etwa 1/2 cm hoch in die Form gießen und leicht gelieren lassen. Das Parfait auf das Gelee setzen. Das restliche Gelee mit einer Kelle über das Parfait gießen, so daß alle Hohlräume ausgefüllt sind und das Parfait rundum vom Gelee eingeschlossen ist. Die Form vorsichtig in den Kühlschrank stellen. Das Gelee in mindestens 2 Stunden fest werden lassen.

7. Vor dem Servieren den Traubensalat zubereiten: Die Trauben waschen, halbieren und entkernen. Den Apfel schälen, vierteln, entkernen und in dünne Scheiben schneiden. Trauben und Apfelscheiben in einer Schüssel mit Walnußöl, Balsamessig und Walnüssen mischen, mit Salz und Zucker würzen.

8. Die Parfaitform vor dem Stürzen kurz in heißes Wasser tauchen. Mit einem flachen, spitzen Messer innen an der Form entlangfahren und so das Gelee vom Rand lösen. Das Parfait vorsichtig auf eine ebene Platte stürzen. Das Parfait mit einem warmen Messer (in heißes Wasser getaucht) in Scheiben schneiden und mit dem Traubensalat auf Tellern anrichten.

Dazu paßt frisch gebackenes Brioche.

Zubereitungszeit: 1 1/2 Stunden (plus Kühlzeiten)
Pro Portion (bei 6 Portionen)
8 g E, 35 g F, 14 g KH = 464 kcal (1941 kJ)

Trierer Moselhecht

Für 2 Portionen:
1 Schweinenetz (beim Fleischer bestellen)
1 kleiner Weißkohlkopf (400 g)
1/4 l trockener Weißwein
1/8 l Schlagsahne, 200 g Hechtfilet
Salz, 1 El Butter

1. Das Schweinenetz 1 Stunde wässern. Das Wasser dabei zweimal wechseln.

2. Den Weißkohl putzen, waschen, gut abtropfen lassen und in sehr feine Streifen schneiden.

3. Den Weißkohl im Weißwein bei milder Hitze 15–20 Minuten garen. Zum Schluß die Sahne unterrühren und den Kohl kalt stellen.

4. Das Hechtfilet vorsichtig waschen, trockentupfen, etwas salzen, in der Butter leicht anbraten und anschließend auskühlen lassen.

5. Das Schweinenetz aus dem Wasser nehmen, trocknen und ausbreiten. Das angebratene Hechtfilet in die Mitte legen und dick mit dem Weißkohl bestreichen. Überflüssiges Schweinenetz abschneiden. Das Netz über Filet und Kohl zu einem Paket zusammenklappen.

6. Das Paket mit der Filetseite nach oben auf ein Backblech setzen, im vorgeheizten Backofen auf der 2. Leiste von unten bei 180 Grad (Gas 2–3, Umluft bei 160 Grad) 15–20 Minuten backen.

7. Das Hechtfilet vor dem Servieren aus dem Netz nehmen und mit Salzkartoffeln anrichten.

Zubereitungszeit: 1 Stunde (plus Zeiten zum Wässern)
Pro Portion 22 g E, 35 g F, 9 g KH = 482 kcal (2021 kJ)

Hunsrücker Spießbraten

Für 6–8 Portionen:
2 kg Schweineschulter (ohne Knochen)
Salz, schwarzer Pfeffer (a. d. Mühle)
2–3 Zwiebeln
1 Bund Majoran
1 Bund glatte Petersilie
50 g Schweineschmalz

1. Die Schweineschulter so aufschneiden, daß ein großes, flaches Fleischstück entsteht, salzen und pfeffern.

2. Die Zwiebeln pellen und fein hacken. Majoran- und Petersilienblätter von den Stielen zupfen, fein hacken und mit den Zwiebeln mischen. Die gekräuterten Zwiebeln auf dem Fleisch verteilen und fest andrücken. Das Fleisch zu einer langen Roulade aufrollen und mit Küchengarn zusammenbinden.

3. Das Schmalz in einem Bräter erhitzen und die Fleischrolle darin von allen Seiten kräftig anbraten, im vorgeheizten Backofen auf der 2. Leiste von unten bei 180 Grad (Gas 2–3, Umluft bei 160 Grad) 1 1/4 Stunden braten. Den Braten dabei alle 10 Minuten drehen und eventuell etwas Wasser zugießen.

4. Das Fleisch nach dem Braten im ausgeschalteten Backofen noch 10 Minuten ruhenlassen, das Küchengarn vor dem Servieren entfernen.

Dazu passen Pellkartoffeln oder Bauernbrot und Rettichsalat.

Zubereitungszeit: 1 3/4 Stunden
Pro Portion (bei 8 Portionen)
51 g E, 28 g F, 1 g KH = 461 kcal (1925 kJ)

Hunsrücker Rettichsalat

Für 2–3 Portionen (als Beilage):
2 weiße Rettiche (à 350 g)
1 El Salz
Saft von 1 Zitrone
1 Tl Zucker, 150 g saure Sahne

1. Die Rettiche schälen und auf der Haushaltsreibe in grobe Streifen hobeln. Den Rettich salzen, 10 Minuten Wasser ziehen lassen, abgießen und gut ausdrücken.

2. Den Zitronensaft mit Zucker und saurer Sahne verrühren und über den Rettich gießen. Den Salat 30 Minuten durchziehen lassen und servieren.

Zubereitungszeit: 30 Minuten (plus Zeit zum Durchziehen)
Pro Portion 4 g E, 5 g F, 11 g KH = 108 kcal (454 kJ)

Nahe stößt mit Mosel an: Silvia Lafer, zweimalige Naheweinkönigin, mit ihrem Mann Johann und Dr. Pauly, der an der Mosel Bäcker und Winzer für „Brot und Wein" zusammengebracht hat

24. ALLGÄU

Käsespätzle-Auflauf mit roter Zwiebelschmelze: Johann Lafer hat das Traditionsgericht des Allgäus entschieden aufgemuntert

24. ALLGÄU

Käsespätzle-Auflauf mit roter Zwiebelschmelze

Zum Foto auf den Seiten 126/127

Für 4–6 Portionen:
250 g Mehl
5 Eier (Gew.-Kl. 3)
2 Eigelb
2 El Mineralwasser
2 El Milch
1 Tl Öl
frisch geriebene Muskatnuß
Salz
80 g Butter
Pfeffer (a. d. Mühle)
3 El Majoranblättchen
4 El gehackte, glatte Petersilie
150 g grob geriebener Allgäuer Bergkäse
125 ml Schlagsahne
250 g rote Zwiebeln
60 g Butterschmalz

1. Das Mehl in eine Schüssel sieben. 3 ganze Eier und das Eigelb, Mineralwasser, Milch und Öl zugeben, mit Muskat und Salz würzen. Dann mit dem Holzlöffel oder den Knethaken so lange bearbeiten, bis der Teig Blasen schlägt. Den Teig 15 Minuten ruhenlassen.

2. Inzwischen reichlich gesalzenes Wasser zum Kochen bringen und einen feinen Siebeinsatz in den Topf hängen. Den Teig portionsweise durch die Spätzlepresse in das Wasser drücken und einmal aufkochen. Fertige Spätzle mit dem Sieb herausnehmen und in Eiswasser geben, dann abtropfen lassen.

3. 65 g Butter in einer oder zwei großen Pfannen aufschäumen lassen, die Spätzle darin kräftig anbraten. Mit Salz, Pfeffer, Muskat, 2 El Majoran und 3 El Petersilie würzen. Eine ofenfeste Form mit der restlichen Butter ausfetten und die Hälfte der Spätzle hineingeben. Mit etwa 70 g Käse bestreuen, den Rest Spätzle daraufgeben.

4. Die restlichen Eier trennen. Eigelb und Sahne verquirlen, mit Salz und Pfeffer würzen. Das Eiweiß mit 1 Prise Salz steif schlagen, die Eiersahne unterrühren. Den Eierguß langsam über die Spätzle gießen, eventuell mit einer Gabel etwas anheben, damit er bis auf den Boden der Form läuft. Den restlichen Käse auf die Oberfläche streuen.

5. Den Auflauf im vorgeheizten Backofen auf der 2. Leiste von unten bei 200 Grad (Gas 3, Umluft 180 Grad) 25–30 Minuten backen.

6. Inzwischen für die Schmelze die Zwiebeln pellen, in dünne Scheiben schneiden und im Butterschmalz langsam und unter Wenden etwa 15 Minuten braten.

7. Die Zwiebelschmelze auf den Auflauf gießen, mit Majoran und Petersilie bestreuen und in der Form servieren.

Zubereitungszeit: 1 1/2 Stunden
Pro Portion (bei 6 Portionen)
20 g E, 42 g F, 33 g KH = 581 kcal (2433 kJ)

Zwischenrippenbraten mit kalter Kräutersauce

Zum Foto rechts

Für 4–6 Portionen:
1,2 kg Zwischenrippe (ohne Knochen)
Salz, Pfeffer (a. d. Mühle)
50 g Butterschmalz
6 Schalotten
150 g Möhren
150 g Staudensellerie
3 Lorbeerblätter
3 Majoranzweige
1 Rosmarinzweig
5 Thymianzweige
Sauce
150 g Crème fraîche
150 g Sahnejoghurt
Salz, Pfeffer (a. d. Mühle)
1/2 Bund Petersilie
1/2 Bund Kerbel
1 Thymianzweig
1/2 Bund Schnittlauch
50 g Raukeblätter
2–3 El Zitronensaft

1. Das Fett vom Rippenstück kreuzweise einritzen. Das Fleisch salzen und pfeffern. Das Butterschmalz im Bräter erhitzen, das Fleisch darin rundherum kurz und scharf anbraten.

2. Schalotten, Möhren und Sellerie putzen, grob zerteilen und mit Lorbeer, Majoran, Rosmarin und Thymian in den Bräter geben.

3. Das Fleisch im vorgeheizten Backofen auf der 2. Leiste von unten bei 100 Grad (Gas 1, Umluft 90 Grad) etwa 2 1/2 Stunden braten.

4. Inzwischen für die Kräutersauce Crème fraîche und Joghurt verrühren, mit Salz und Pfeffer würzen. Petersilie, Kerbel und Thymian abzupfen und fein hacken. Den Schnittlauch in feine Röllchen, die Raukeblätter in ganz feine Streifen schneiden. Die Kräuter unter die Sauce mischen und kurz vor dem Servieren mit Zitronensaft würzen.

5. Das Fleisch aus dem Bräter nehmen, mit oder ohne Fettkante aufschneiden und mit der kalten Kräutersauce servieren.

Dazu passen Quark-Kartoffel-Crêpes und Löwenzahnsalat mit Tomatensauce.

Zubereitungszeit: 3 Stunden
Pro Portion (bei 6 Portionen)
39 g E, 28 g F, 3 g KH = 425 kcal (1782 kJ)

E&T: Wenn Sie das Fleisch mit Sauce servieren möchten, sollten Sie die Röststoffe im Bräter mit 150 ml Wasser loskochen, durch ein Sieb gießen und als klare Bratensauce zum Fleisch servieren.

Aus dem Allgäu: Rippenbraten

Quark-Kartoffel-Crêpes

Zum Foto oben

Für 4–6 Portionen:
350 g Kartoffeln (mehligkochend)
40 g Magerquark
3 Eier (Gew.-Kl. 3, getrennt)
1 El Schnittlauchröllchen
frisch geriebene Muskatnuß , Salz
50 g Butter, 60 g Butterschmalz

1. Die Kartoffeln ungeschält auf einem Blech im vorgeheizten Backofen auf der 2. Leiste von unten bei 200 Grad (Gas 3, Umluft 175 Grad) 40–45 Minuten backen. Die Kartoffeln halbieren, das Innere herauskratzen, durch eine Kartoffelpresse in eine Schüssel drücken und auskühlen lassen.

2. Quark, Eigelb und Schnittlauch unterrühren, mit Muskat und Salz würzen. Die Butter in einem kleinen Topf bräunen und unterrühren. Das Eiweiß steif schlagen und unterheben.

3. In einer Pfanne das Butterschmalz portionsweise nicht zu stark erhitzen. Mit einem Eßlöffel kleine Kartoffelteighäufchen hineinsetzen, etwas flachdrücken. Die Crêpes von jeder Seite in 3–4 Minuten goldbraun braten. Die fertigen Crêpes eventuell auf einem Blech im Backofen warm halten.

Die Quark-Kartoffel-Crêpes zum Braten reichen.

Zubereitungszeit: 1 1/4 Stunden
Pro Portion (bei 6 Portionen)
6 g E, 20 g F, 8 g KH = 235 kcal (983 kJ)

KLASSIKER

mit kalter Kräutersauce

Jakls Bratkartoffeln

Zum Foto unten

Für 4 Portionen:
500 g Kartoffeln vom Vortag
(in der Schale gekocht)
100 g Zwiebeln
100 g Räucherspeck
30–40 g Butterschmalz
1/2 Tl gekörnte Brühe (Instant)
Salz, Pfeffer (a. d. Mühle)
1 Tl gehackte Liebstöckelblättchen
1 El Majoranblättchen
50–80 g grob geraspelter
Allgäuer Bergkäse

1. Die Kartoffeln pellen und in Scheiben schneiden. Die Zwiebeln pellen und würfeln. Den Speck ohne Schwarte fein würfeln und im Butterschmalz glasig braten. Die Kartoffeln zugeben. Die Zwiebeln über die Kartoffeln streuen und mit Brühepulver, Salz und Pfeffer würzen.

2. Die Kartoffeln auf milder Hitze ganz langsam von der Unterseite knusprig braten, dann wenden und von der anderen Seite ebenso langsam knusprig braten. Eventuell dabei noch etwas Butterschmalz dazugeben, damit sie nicht kleben.

3. Die Bratkartoffeln mit Liebstöckel und Majoran würzen, mit Käse bestreuen und servieren.

Zubereitungszeit: 40 Minuten
Pro Portion etwa 7 g E, 30 g F, 16 g KH = 365 kcal (1528 kJ)

Böfflamott

Für 4 Portionen:
2 El Butter
2 El Mehl
1/2 Tl Salz
Pfeffer (a. d. Mühle)
2 Lorbeerblätter
5 Wacholderbeeren
1 Zitrone
1 Tasse Rotwein
750 g gekochtes Rindfleisch

1. Die Butter in einem Topf erhitzen. Das Mehl darin dunkel anschwitzen, mit 1/2 l Wasser ablöschen und glatt verrühren. Die Mehlschwitze salzen und pfeffern. Die Lorbeerblätter, Wacholderbeeren und die geschälte Zitrone in Scheiben hineingeben. Die Sauce auf milder Hitze 40 Minuten ziehen lassen, dann den Rotwein zugießen und das in Scheiben geschnittene Rindfleisch darin erhitzen.

2. Das Böfflamott wird in einer Schüssel serviert. Dazu gibt es Semmelknödel oder Petersilienkartoffeln.

Zubereitungszeit: 1 Stunde
Pro Portion 55 g E, 18 g F, 8 g KH = 424 kcal (1774 kJ)

Löwenzahnsalat mit Tomatensauce

Zum Foto oben

Für 4–6 Portionen:
2 Tomaten
150 g grüner und gelber Löwenzahn
4 El Tomatensaft
3 El Balsamessig
100 ml Sonnenblumenöl
1 El mittelscharfer Senf
3 gehackte Bärlauchstiele (ersatzweise
1 gehackte Knoblauchzehe)
Salz
Pfeffer (a. d. Mühle)

1. Die Tomaten vierteln, den Saft und die Kerne herausdrücken, das Fleisch fein würfeln. Den Löwenzahn waschen, trockenschleudern und mundgerecht zerzupfen. Den Löwenzahn mit den Tomaten mischen und anrichten.

2. Den Tomatensaft mit dem Essig verquirlen, das Öl und den Senf unterschlagen. Mit Bärlauch (oder Knoblauch), Salz und Pfeffer würzen. Die Sauce über den Salat gießen und gut durchheben.

Den Salat zum Braten reichen.

Zubereitungszeit: 10 Minuten
Pro Portion (bei 6 Portionen)
1 g E, 14 g F, 3 g KH = 140 kcal (587 kJ)

Jakl Köhler ist Hirt und Wirt auf seiner Alpe Sonnhalde bei Oberstaufen und macht die würzigsten Bratkartoffeln der Welt

25. SPREEWALD/NIED

ERLAUSITZ

Joghurt-Schmand-Schnitte mit Heidelbeeren: weil die blauen Beeren, die auf sandigem Lausitzboden wachsen, ein besonderes Aroma haben

Joghurt-Schmand-Schnitte mit Heidelbeeren

Zum Foto auf den Seiten 130/131

Für 8–12 Stücke:
Biskuit
3 Eier (Gew.-Kl. 3)
90 g Zucker
1 El abgeriebene Zitronenschale (unbehandelt)
Salz
50 g Speisestärke
40 g Mehl
50 g flüssige, kalte Butter
Gelee
200 ml Rotwein
60 g Zucker
1 Zimtstange
Schale von je 1 Orange und Zitrone (unbehandelt)
5 Blatt weiße Gelatine
500 g Heidelbeeren
Eiswürfel
Creme
8 Blatt weiße Gelatine
300 g Joghurt
150 g Schmand
100 g Puderzucker (gesiebt)
6 El Zitronensaft
400 ml Schlagsahne
außerdem
1 Tl Butter für die Form
3 cl Orangenlikör
30 g gehackte Pistazien
2 El Puderzucker zum Bestäuben

1. Für den Biskuit die Eier mit Zucker über dem heißen Wasserbad dick-schaumig aufschlagen, mit der Zitronenschale und 1 Prise Salz würzen. Stärke und Mehl mischen, dazusieben und unterheben. Die Butter unterrühren.

2. Ein Backblech mit Backpapier auslegen. Den Biskuitteig auf das Blech gießen und mit einer Palette glattstreichen. Im vorgeheizten Backofen auf der 2. Leiste von unten bei 175 Grad (Gas 2, Umluft 160 Grad) 6–8 Minuten backen. Den Biskuit aus dem Ofen nehmen und abkühlen lassen.

3. Für das Heidelbeergelee Rotwein mit Zucker, Zimtstange, Orangen- und Zitronenschale aufkochen, vom Herd nehmen und 10 Minuten ziehen lassen. Die Gelatine kalt einweichen, ausdrücken und im warmen Rotweinsud auflösen.

4. 400 g Heidelbeeren in eine Schüssel geben und auf Eiswürfel stellen. Den Rotweinsud durch ein Sieb darübergießen, unterrühren und auf dem Eis in etwa 5 Minuten leicht gelieren lassen.

5. Für die Creme die Gelatine kalt einweichen. Joghurt, Schmand und Puderzucker verrühren. Den Zitronensaft erwärmen, die Gelatine ausdrücken, darin auflösen und unter den Joghurt rühren. Die Sahne steif schlagen, unterziehen und 10 Minuten kalt stellen.

6. Eine rechteckige Form (halb so groß wie das Backblech) dünn mit Butter ausfetten und so mit Backpapier auslegen, daß es großzügig an den Längsseiten überlappt. Das Papier vom Biskuit lösen. Die Teigplatte halbieren, eine Hälfte in die Arbeitsschale legen. Die Beeren in Gelee darüber verteilen und 5 Minuten kalt stellen.

7. Etwa zwei Drittel der Creme auf das Gelee streichen, die zweite Teigplatte darauf legen, leicht andrücken, mit Likör beträufeln und mit der restlichen Creme bestreichen. Die Schnitte mit den restlichen Heidelbeeren und den Pistazien garnieren und bis zum Servieren noch mindestens 2 Stunden kalt stellen.

8. Die Schnitte an den kurzen Seiten von der Arbeitsschale lösen, am Papier herausheben und mit einem langen, in heißes Wasser getauchten Messer in 8–12 Stücke schneiden. Die Dessertteller mit Puderzucker bestreuen, die Stücke darauf anrichten und servieren.

Zubereitungszeit: 3 Stunden
Pro Stück (bei 12 Stücken)
15 g E, 45 g F, 42 g KH = 642 kcal (2690 kJ)

Aus dem Spreewald: Zander in der Meerrettichkruste

Zander in der Meerrettichkruste

Zum Foto oben

Für 4 Portionen:
Kruste
60 g zimmerwarme Butter
2 El frisch geraspelter Meerrettich
2 El Zitronensaft
1 El gehackte glatte Petersilie , 1 Eigelb
80 g Semmelbrösel
Salz, Pfeffer (a. d. Mühle)
Zander
4 Zanderfilets (à 160 g)
1 El Zitronensaft
Salz, Pfeffer (a. d. Mühle)
20 g Butterschmalz

1. Für die Kruste Butter mit Meerrettich, Zitronensaft, Petersilie und Eigelb verkneten. Die Semmelbrösel untermischen. Den Teig mit Salz und Pfeffer würzen und zwischen zwei Klarsichtfolien zu einer Platte ausrollen (so groß wie die zum Karree zusammengelegten Fischstücke) und im Kühlschrank fest werden lassen.

2. Die Zanderfilets mit einer Pinzette von den restlichen Gräten befreien und mit Zitronensaft, Salz und Pfeffer würzen.

3. Das Butterschmalz in der Pfanne erhitzen. Die Zanderfilets zuerst auf der Hautseite kurz anbraten, dann umdrehen, vom Herd nehmen und mit der Hautseite nach oben in eine feuerfeste Form legen.

4. Die Meerrettichkruste in 4 Stücke schneiden und auf den Zander legen. Die Zanderfilets im vorgeheizten Backofen auf der 2. Leiste von oben bei 250 Grad (Gas 5, Umluft 225 Grad) in 3–4 Minuten goldbraun überkrusten.

Zu den überkrusteten Zanderfilets ein Gurkengemüse servieren.

Zubereitungszeit: 40 Minuten
Pro Portion 34 g E, 21 g F, 17 g KH = 395 kcal (1657 kJ)

Gurkengemüse

Zum Foto links

Für 4 Portionen:
1 Salatgurke (400 g)
1 El Butterschmalz, 80 g Schalottenwürfel
Salz, 1 Tl Zucker
3–4 El Zitronensaft
100 ml Fischfond (a. d. Glas)
50 g gesalzene Butter
150 g Crème fraîche
Pfeffer (a. d. Mühle), 2 El gehackter Dill

1. Die Gurke schälen und halbieren, die Kerne mit einem Löffel herauskratzen. Das Gurkenfleisch in 1/2 cm dicke Scheiben schneiden.

2. Das Butterschmalz erhitzen. Die Gurken und Schalotten darin kräftig anbraten, salzen, mit Zucker bestreuen und unter Schütteln bei starker Hitze glasieren. Den Zitronensaft und den Fischfond dazugießen. Die Gurken 3–4 Minuten offen garen.

3. Die Gurken in einem Sieb abtropfen lassen, den Fond dabei auffangen und mit Butter und Crème fraîche schaumig aufmixen (Schneidstab). Die Sauce mit Salz, Pfeffer und Dill würzen und über die Gurken gießen.

Das Gurkengemüse zum Zander servieren.

Zubereitungszeit: 30 Minuten
Pro Portion 2 g E, 28 g F, 7 g KH = 286 kcal (1657 kJ)

Sorbisches Hochzeitsessen

Aufgezeichnet von Fräulein Martha, der Haushälterin eines katholischen Pfarrers, der 1980 bei Bautzen eine sorbische Gemeinde betreute.

Einleitung: Gemüsesuppe mit Eierstich
Man nimmt Brühe von Rindfleisch und gibt als Einlage Erbsen, Blumenkohl, Spargel, Mohrrüben und den Eierstich hinzu.

Bereitung des Eierstichs: Man rechnet für den Eierstich pro Person 1 Ei. Die Eier werden in einen Topf gegeben und mit dem Schneebesen durchgeschlagen. Die Menge der hinzuzugebenden Milch muß der Flüssigkeit der Eier entsprechen. Diese Eierstichflüssigkeit muß man leicht salzen. Nun nimmt man am besten Einweckgläser, die man mit Butter ausstreicht, und füllt sie halbvoll mit dieser Eierstichflüssigkeit. Diese Gläser stellt man ins heiße Wasserbad und läßt den Eierstich fest werden, aber nicht kochen. Ist der Eierstich fertig, wird er mit dem Ziermesser in größere Stückchen geschnitten.

Nudelsuppe mit Eierstich: Man kann als eine zweite Möglichkeit in die obengenannte Brühe anstatt der Gemüseeinlage feine Nudeln mit kleingeschnittenen Mohrrüben geben. Auch in diese Nudelsuppe kommt Eierstich.

1. Gang: Gekochtes Rindfleisch mit Meerrettichsauce
In einen Topf gibt man etwas Butter, läßt sie zerlaufen und gibt Mehl dazu. Dieses wird hell angeröstet. Wenn das geschehen ist, löscht man mit so viel Rindfleischbrühe ab, daß es eine schöne, dicke Sauce gibt, in der ein Löffel stehen kann. Man kann diese Sauce mit Eigelb legieren.

Bereitung des Meerrettichs: Die Meerrettichstangen werden geschält und dann mit einem feinen Reibeisen an frischer Luft gerieben. Den geriebenen Meerrettich gibt man sofort in die oben erwähnte fertige Sauce, da er durch längeres Stehen unansehnlich wird. Diese mit dem Meerrettich vermischte Sauce darf nicht mehr gekocht werden. Als Menge für den geriebenen Meerrettich sagt man hierzulande: Es muß so viel Meerrettich in der Sauce sein, daß einem beim Essen die Tränen kommen! Zu dieser Meerrettichsauce und dem gekochten Rindfleisch gibt man als Beilage Brot in Scheiben.

2. Gang: Braten

Es kann Schweine-, Kalbs- oder Rinderbraten sein. Zusätzlich kann man noch variieren: Schnitzel, Kalbsniere, Rouladen oder Sauerbraten. Der Jahreszeit entsprechend gibt man als Gemüse: Mohrrüben mit Erbsen, Rosenkohl, Schnittbohnen, Pilze, Blaukraut, Sauerkraut oder auch Blattsalat. Zum Braten reicht man Salzkartoffeln, Kartoffelklöße oder böhmische Klöße.

Nachspeise: Kompott und Eis mit Schlagsahne.

Ute Straube hat, wie jede Spreewälderin, ihr ganz spezielles Gurkenrezept

26. HAMBURG

Eine Hamburgensie im modischen Outfit: Johann Lafer hat die Traditionsbeilagen Birnen, Bohnen und Speck mit glasierter Entenbrust gepaart

26. HAMBURG

Glasierte Entenbrust mit Birnen, Bohnen und Speck

Zum Foto auf den Seiten 134/135

Für 4 Portionen:
4 Entenbrüste (à 180 g)
300 g kleine Kartoffeln
300 g grüne Bohnen
80 g durchwachsener Speck
2 Knoblauchzehen
2 Schalotten
Salz, Pfeffer (a. d. Mühle)
40 g Butterschmalz
2 große Birnen
150 ml Geflügelfond (a. d. Glas)
1 El Zucker
5 El Weißweinessig
1 El Honig
1/4 Tl Zimtpulver
1 El Sesamsaat
1–2 El Bohnenkrautblätter

1. Die Haut der Entenbrüste mit einem scharfen Messer schräg einschneiden. Die Kartoffeln schälen. Die Bohnen putzen und in Stücke brechen. Den Speck ohne Schwarte in feine Streifen schneiden. Knoblauch und Schalotten pellen und sehr fein würfeln.

2. Die Entenbrüste salzen und pfeffern und auf der Hautseite in 20 g sehr heißem Butterschmalz scharf anbraten. Die Entenbrüste im vorgeheizten Backofen auf der 2. Leiste von unten bei 225 Grad (Gas 4, Umluft 200 Grad) 10 Minuten braten. Die Pfanne aus dem Ofen nehmen, das Fleisch umdrehen und ruhenlassen.

3. Inzwischen die Kartoffeln in gesalzenem Wasser gar kochen. Die Bohnen in kochendem Salzwasser 5 Minuten blanchieren und abtropfen lassen. Die Birnen schälen, vierteln oder sechsteln und entkernen. Bohnen und Birnen zusammen im heißen Geflügelfond zugedeckt 8–10 Minuten dünsten.

4. Den Speck im restlichen Butterschmalz knusprig ausbraten. Knoblauch und Schalotten darin anbraten, mit Zucker bestreuen, leicht karamelisieren lassen, mit Essig löschen und warm halten.

5. Den Honig erwärmen, den Zimt unterrühren, auf die Entenbrüste streichen und mit Sesam bestreuen. Die Entenbrüste auf der 2. Leiste von oben bei 250 Grad (Gas 5, Umluft 220 Grad) 2–3 Minuten überkrusten.

6. Die Kartoffeln abgetropft zu den Birnen und Bohnen geben, mit Bohnenkraut, Salz und Pfeffer würzen. Das Gemüse anrichten, die Specksauce darüber verteilen. Die Entenbrüste schräg aufschneiden und auf dem Gemüse servieren.

Zubereitungszeit: 1 Stunde
Pro Portion 38 g E, 58 g F, 34 g KH = 803 kcal (3365 kJ)

Süßes Hamburg: Brombeer-Schaumomelett mit Zimtschaum

Brombeer-Schaumomelett mit Zimtschaum

Zum Foto oben

Für 4 Portionen:
375 ml Milch
3 Zimtstangen
50 g Brombeergelee
200 g Brombeeren
1/2 El abgeriebene Orangenschale (unbehandelt)
3 El Orangenlikör
120 g Zucker
1 Pk. Vanillezucker
15 g Mehl
30 g gemahlene, geröstete Mandeln
8 Eigelb (Gew.-Kl. 3)
3 Eiweiß (Gew.-Kl. 3)
Salz
30 g Butterschmalz
40 g gehobelte Mandeln
2 El Rum

1. Für den Zimtschaum 250 ml Milch mit den zerbrochenen Zimtstangen aufkochen und 2 Stunden beiseite gestellt ziehen lassen.

2. Für die Füllung das Brombeergelee bei sehr milder Hitze auflösen und glattrühren. Brombeeren, Orangenschale und 1 El Likör unterrühren und beiseite stellen.

3. Für das Omelett die restliche Milch mit 40 g Zucker und Vanillezucker aufkochen. Das Mehl schnell einrühren, aufkochen und abkühlen lassen. Gemahlene Mandeln, 3 Eigelb und restlichen Likör unterrühren. Das Eiweiß mit 1 Prise Salz steif schlagen und mit einem Schneebesen unter den Teig heben.

4. Das Butterschmalz in einer großen beschichteten Pfanne schmelzen und mit den gehobelten Mandeln bestreuen. Den Teig einfüllen und glattstreichen.

5. Das Schaumomelett im vorgeheizten Backofen auf der 2. Leiste von unten bei 250 Grad (Gas 5, Umluft 220 Grad) 5–6 Minuten backen.

6. Inzwischen für den Zimtschaum die Zimtmilch sieben und mit restlichem Eigelb und Zucker über einem heißen Wasserbad dick-schaumig aufschlagen. Aus dem Wasserbad nehmen, etwas abkühlen lassen und mit Rum würzen.

7. Das Omelett von Pfannenrand und -boden lösen, die Hälfte Brombeeren darauf verteilen. Auf einen großen Teller gleiten lassen und dabei zusammenklappen. Mit den restlichen Brombeeren und etwas Zimtschaum garnieren. Erst bei Tisch portionieren, den restlichen Zimtschaum extra servieren.

Zubereitungszeit: 45 Minuten (plus Zeit zum Durchziehen)
Pro Portion 18 g E, 37 g F, 52 g KH = 633 kcal (2652 kJ)

Hamburger Aalsuppe

Für 6 Portionen:
1 Schinkenknochen (mit Schinkenresten)
1 Bund Suppengemüse
2 l Fleischbrühe
500 g gemischtes Backobst
200 g Sellerie
250 g Möhren
1 Porreestange
300 g frische Erbsen
Essig, Zucker
reichlich frische Kräuter
2 kleine frische Aale (à 300 g)
1/8 l Weißwein

1. Den Schinkenknochen 10 Minuten in Wasser kochen. Das Wasser weggießen. Den Knochen und das geputzte, grob zerkleinerte Suppengemüse mit der Fleischbrühe aufkochen, 1 Stunde kochen lassen.

2. Inzwischen das Backobst mit Wasser bedeckt ausquellen lassen. Das Gemüse putzen und in Stücke schneiden. Die Erbsen enthülsen.

3. Knochen und Suppengemüse aus der Suppe nehmen. Das Fleisch vom Knochen lösen, in kleine Stücke schneiden und wieder in die Suppe geben. Das Suppengemüse wegwerfen.

4. Gemüse und Obst in die Suppe geben, 20 Minuten kochen lassen.

5. Suppe mit Essig und Zucker süßsauer abschmecken und mit den gehackten Kräutern würzen.

6. Die Aale gut waschen, in Stückchen schneiden und in Wein und 1/8 l Wasser 10 Minuten dünsten. Das Fleisch häuten und entgräten und mit dem Kochfond in die Suppe geben.

Zur Aalsuppe können Schwemmklößchen serviert werden.

Zubereitungszeit: 1 1/2 Stunden
Pro Portion 22 g E, 21 g F, 32 g KH = 412 kcal (1721 kJ)

E&T: Am besten ist es, wenn die Suppe über Nacht abkühlt und dann erst das Fett abgeschöpft wird. Das Fett kann z. B. für Bratkartoffeln verwendet werden.

Zwei, die es kulinarisch gerne gut haben: Johann Lafer und „e&t"-Chefredakteur Peter Ploog

Finkenwerder Ewerscholle

Für 4 Portionen:
200 g durchwachsener Speck
8 El Butter
4 frische Schollen (à 350 g, vom Fischhändler küchenfertig vorbereitet)
Zitronensaft
Salz, Pfeffer (a. d. Mühle)
8 El Mehl
2 Zitronen (unbehandelt) in Scheiben

1. Den Speck fein würfeln. In einer großen Pfanne die Butter erhitzen, die Speckwürfel darin auslassen, mit einer Schaumkelle aus der Pfanne nehmen und beiseite stellen.

2. In der Zwischenzeit die Schollen waschen, trockentupfen, mit Zitronensaft beträufeln, salzen, pfeffern und in Mehl wenden.

3. Alle Schollen nacheinander in dem Gemisch aus Butter und Speckfett von jeder Seite goldbraun braten. Die fertigen Schollen mit der hellen Seite nach oben auf vorgewärmte Teller legen und warm stellen.

4. Den Speck in der Pfanne kurz erhitzen, auf die Schollen geben. Die Schollen mit Zitronenscheiben garnieren und servieren.

Dazu einen säuerlich angemachten Kartoffelsalat reichen.

Zubereitungszeit: 30 Minuten
Pro Portion 40 g E, 63 g F, 15 g KH = 784 kcal (3279 kJ)

Die Ewerschollen sollen leben

Finkenwerder ist eine größere Elbinsel südlich von Hamburg. Auf ihr haben sich Traditionen besonderer Art ausgebildet. Die Einwohner der Insel, die seit langem zu Hamburg gehört, sprechen nach wie vor ihr eigenes Platt und sind schon immer Elbfischer gewesen. Als die Fische in der Elbe knapp wurden, vergrößerten die Finkenwerder ihre einfachen, offenen Ewer zu seetüchtigen Fischerbooten und fischten damit auch in der Nordsee. Die Finkenwerder Fischer waren es, die Hamburg mit frischem Fisch versorgten, besonders mit lebenden Schollen. Keine Hamburger Hausfrau, die auf sich hielt, würde eine tote Scholle gekauft haben. Und deshalb waren die Ewer mit besonderen Bassins ausgestattet, in denen die Schollen zwar dicht an dicht, aber lebend im Meerwasser lagen. Man sagte, eine richtige Hamburger Familie hätte ihren Sonntagsspaziergang sonntags morgens um 7 Uhr zum Hamburger Fischmarkt gemacht, um sich da mit frischen Schollen zu versorgen.

27. ERZGEBIRGE/VOG

Saures Kartoffelgulasch mit Schweinefilet: kräftiger Eintopf aus dem Vogtland, wo die Kartoffeln sehr früh zum wichtigsten Grundnahrungsmittel avancierten

Saures Kartoffelgulasch mit Schweinefilet

Zum Foto auf den Seiten 138/139

Für 4 Portionen:
600 g Schweinefilet
1 El gehackte Majoranblättchen
1 El Meersalz
400 g Kartoffeln (festkochend)
50 g Butterschmalz
100 g Schalottenwürfel
100 g Möhrenwürfel
100 g Selleriewürfel
1 El edelsüßes Paprikapulver
1/8 l Weißweinessig
750 ml Fleischbrühe
5 zerstoßene Wacholderbeeren
3 Gewürznelken
2 Lorbeerblätter
2 Äpfel (250 g)
30 g Butter
1 El Honig
Salz, Pfeffer (a. d. Mühle)
1 Tl Speisestärke
1 El gehackte Petersilie

1. Das Schweinefilet parieren. Die Majoranblättchen in einem Mörser mit dem Meersalz zerstoßen, das Schweinefilet rundum mit dem Gewürzsalz einreiben.

2. Die Kartoffeln schälen, waschen, vierteln, in Wasser legen und beiseite stellen.

3. Das Butterschmalz in einem Topf erhitzen. Das Schweinefilet bei milder Hitze darin anbraten, aus dem Topf nehmen und auf einem Teller beiseite stellen. Die Schalotten in den Topf geben und glasig dünsten. Möhren und Sellerie unterrühren und kurz andünsten. Das Gemüse mit dem Paprikapulver bestäuben und kurz anrösten. Mit dem Essig ablöschen und mit der Brühe aufgießen. Die Kartoffeln abgießen, abtropfen lassen und in die Brühe geben.

4. Wacholderbeeren, Nelken und Lorbeer in einen Teebeutel füllen und als Gewürzsäckchen in den Topf geben. Den Eintopf zugedeckt bei milder Hitze etwa 10–15 Minuten kochen lassen, bis das Gemüse halb gar ist.

5. Das Schweinefilet in den Eintopf geben und weitere 10–15 Minuten garen.

6. In der Zwischenzeit die Äpfel schälen, vierteln, entkernen und in Spalten schneiden. Die Butter mit dem Honig in einer Pfanne erwärmen. Die Apfelspalten darin glasieren.

7. Das Schweinefilet und den Gewürzbeutel aus dem Topf nehmen. Das Fleisch in Scheiben schneiden. Den Eintopf mit Salz und Pfeffer abschmecken. Die Speisestärke in kaltem Wasser anrühren und den Eintopf damit binden. Die glasierten Äpfel und die Petersilie unterrühren. Das Fleisch wieder in den Topf geben.

Das saure Kartoffelgulasch in tiefen Tellern servieren.

Zubereitungszeit: 1 1/4 Stunden
Pro Portion 37 g E, 22 g F, 28 g KH = 468 kcal (1958 kJ)

Hagebuttenschnecken-Auflauf: ein ländliches Herbstdessert a

Hagebuttenschnecken-Auflauf

Zum Foto oben

Für 4–6 Portionen:
Hefeteig
1/8 l lauwarme Milch, 30 g Zucker
10 g Hefe, 250 g Mehl
1 Eigelb (Gew.-Kl. 3)
abgeriebene Schale von 1/2 Zitrone (unbehandelt)
1 El Rum, Salz
40 g zimmerwarme Butter
Mehl zum Bearbeiten, Butter für die Form
Füllung
250 g Quark, 70 g Zucker
abgeriebene Schale von 1 Zitrone (unbehandelt)
2 Eigelb (Gew.-Kl. 3), 1 El Mehl
80 g getrocknete Aprikosen
1 Eiweiß, Salz
200 g Hagebuttenkonfitüre
Eierguß
100 ml Schlagsahne
1 Ei, 2 Eigelb (Gew.-Kl. 3)
1 El Honig, 2 El brauner Rohrzucker

1. Milch mit Zucker und der zerbröselten Hefe verrühren, bis sich beides in der Milch aufgelöst hat. 80 g Mehl zugeben und verrühren. Den Vorteig mit Klarsichtfolie zudecken und etwa 30 Minuten an einem warmen Ort gehen lassen.

2. Den Vorteig mit restlichem Mehl, Eigelb, Zitronenschale, Rum und 1 Prise Salz verkneten. Zuletzt die Butter unterkneten. Den Teig zugedeckt an einem warmen Ort auf doppelte Größe aufgehen lassen.

3. In der Zwischenzeit die Quarkfüllung zubereiten: Den Quark in einem Tuch gut ausdrücken und abtropfen lassen. Den Quark, 50 g Zucker und die Zitronenschale in einer Schüssel mit den Schneebesen des elektrischen Handrührers gut verrühren. Eigelb, Mehl und Aprikosenwürfel unterrühren. Das Eiweiß mit dem restlichen Zucker und 1 Prise Salz steif schlagen und unter die Quarkmasse heben. Die Quarkfüllung in einen Spritzbeutel mit Lochtülle Nr. 6 füllen. Die Hagebuttenkonfitüre ebenfalls in einen Spritzbeutel mit Lochtülle Nr. 6 füllen.

4. Den Hefeteig auf einer bemehlten Klarsichtfolie etwa 1/2 cm dick (40x40 cm) ausrollen. Die Quarkfüllung in 6 Streifen mit 1 cm Abstand auf etwa zwei Drittel des Hefeteiges spritzen. Die Hagebuttenkonfitüre

ɘm sächsischen Bergland

in die Zwischenräume spritzen. Den Teig mit Hilfe der Klarsichtfolie wie einen Strudel aufrollen. Die Rolle komplett in Folie einrollen, für etwa 1 Stunde in das Tiefkühlfach legen, damit der Teig und die Füllung fest werden und sich besser schneiden lassen.

5. Den Teig aus der Folie rollen und in etwa 2 1/2 cm dicke Scheiben schneiden. Die Scheiben in eine gebutterte Auflaufform legen. Den Teig zugedeckt nochmals 15 Minuten gehen lassen.

6. Die Hagebuttenschnecken im vorgeheizten Backofen auf der 2. Leiste von unten bei 180 Grad (Gas 2–3, Umluft 170 Grad) 10 Minuten vorbacken.

7. Inzwischen für den Eierguß Sahne, Ei, Eigelb und Honig verrühren.

8. Die Form aus dem Ofen nehmen. Den Eierguß gleichmäßig über den Schnecken verteilen. Die Schnecken mit dem Rohrzucker bestreuen. Die Form wieder in den Ofen schieben. Die Schnecken bei gleicher Temperatur in 15 Minuten fertigbacken.

Die Hagebuttenschnecken mit halbsteif geschlagener, eiskalter Vanillesahne servieren.

Zubereitungszeit: 1 Stunde
(plus Zeit zum Gehen für den Hefeteig und Kühlzeit)
Pro Portion (bei 6 Portionen)
18 g E, 20 g F, 94 g KH = 637 kcal (2667 kJ)

Wernesgrüner Bierfleisch

Für 4 Portionen:
750 g Schweineschulter (ohne Knochen)
80 g Butterschmalz
2 gewürfelte Zwiebeln
Salz, Pfeffer (a. d. Mühle)
1 Tl Kümmelkörner, 1/2 l Fleischbrühe
300 ml Bier, 2 Äpfel
Mehl zum Bestäuben

1. Das Fleisch in gulaschgroße Würfel schneiden. 50 g Butterschmalz im Bräter erhitzen und die Zwiebeln darin glasig dünsten. Das Fleisch zugeben und bräunen, mit Salz, Pfeffer und Kümmel würzen. 1/4 l Brühe und 1/4 l Bier zugießen.

2. Das Fleisch zugedeckt bei milder Hitze 90 Minuten leise schmoren lassen. Nach der Hälfte der Garzeit die restliche Brühe zugießen. 5 Minuten vor dem Ende der Garzeit das restliche Bier unterrühren.

3. Die Äpfel schälen, vierteln, entkernen, grob würfeln und mit Mehl bestäuben. Das restliche Butterschmalz erhitzen. Die Äpfel darin 5 Minuten braten, abtropfen lassen, auf dem Bierfleisch verteilen und servieren.

Dazu passen Glitscher (Kartoffelplätzchen).

Zubereitungszeit: 1 3/4 Stunden
Pro Portion 40 g E, 37 g F, 16 g KH = 584 kcal (2359 kJ)

Glitscher (Kartoffelplätzchen)

Für 12 Stück:
1,2 kg Kartoffeln (mehligkochend)
200 ml Buttermilch
Salz, Pfeffer (a. d. Mühle)
frisch geriebene Muskatnuß
Öl zum Ausbacken

1. 800 g rohe Kartoffeln schälen, waschen, fein reiben und im Sieb abtropfen lassen. Die Flüssigkeit auffangen (dabei setzt sich die Stärke ab).

2. Die restlichen Kartoffeln in Salzwasser kochen, abgießen, gut ausdämpfen lassen, pellen und durch die Kartoffelpresse drücken.

3. Rohe und gekochte Kartoffeln mischen. Stärke zugeben. Die Buttermilch unterrühren, mit Salz, Pfeffer und Muskat würzen.

4. Das Öl in einer Pfanne erhitzen. Jeweils 1–2 El Kartoffelteig hineingeben, breitdrücken, auf beiden Seiten knusprig braten und bis zum Servieren warm stellen.

Zubereitungszeit: 45 Minuten
Pro Stück 2 g E, 5 g F, 12 g KH = 107 kcal (448 kJ)

Die Kartoffel im Vogtland

Die Kartoffel kam im 16. Jahrhundert aus Mittelamerika nach Europa. Als botanische Rarität, ihrer schönen „Blumen" und des „anmutigen Geschmacks" wegen sandte sie der Landgraf von Hessen 1591 aus seinem Lustgarten an den sächsischen Kurfürsten. Ihre früheste Bezeugung für bäuerlichen Anbau erfährt sie 1647, als der Bauer Hans Rogler aus Selb im bayerischen Vogtland die ersten Erdäpfel aus Roßbach in Böhmen mitbrachte und sie im Garten anpflanzte.

Die Sächsin Oda Tietz hat viele gescheite Bücher über die Küche in den neuen Bundesländern geschrieben

28. BRANDENBURG

Warmer Spargelsalat mit Flußkrebsen: mit Beelitzer Spargel und Havelkrebsen sind zwei Brandenburger Berühmtheiten in einer frühlingshaften Vorspeise aufs schönste vereinigt

28. BRANDENBURG

Warmer Spargelsalat mit Flußkrebsen

Zum Foto auf den Seiten 142/143

Für 4–6 Portionen:
Krebse
1 Möhre, 1 Stange Sellerie
1/2 Stange Porree, 2 Schalotten
1 Knoblauchzehe, 30 g Butter
3 Lorbeerblätter, 10 Pfefferkörner
250 ml trockener Weißwein
Salz, 24 lebende Flußkrebse, Eiswürfel
Salat
1 Tomate, 2 Schalotten
30 g Haselnußkerne, 1 Zitrone
2 Kopfsalatherzen, 750 g Spargel
20 g Butter, Salz
Pfeffer (a. d. Mühle), 6 El Balsamessig
75 ml Haselnußöl, 1/2 Bund Kerbel

1. Möhre, Sellerie, Porree, Schalotten und Knoblauch putzen und grob würfeln. Das Gemüse in der Butter andünsten. Lorbeer und Pfefferkörner zugeben, Weißwein und 1 1/4 l Wasser zugießen, salzen und 10 Minuten kräftig durchkochen. Die Krebse portionsweise mit dem Kopf voran in den sprudelnd kochenden Sud geben, 2 1/2 Minuten kochen lassen, mit der Schaumkelle herausnehmen und sofort in Eiswasser abschrecken.

2. Die Krebse ausbrechen: Bei jedem Krebs erst den Kopf abdrehen. Den Körper fest zusammendrücken, dann die Außenseiten nach hinten biegen, damit der Panzer aufplatzt. Den Panzer abschälen. Den Rücken der Länge nach etwa 2 mm tief einschneiden, den Darm mit einem spitzen Messer entfernen. Das Krebsfleisch mit Klarsichtfolie zudecken und kühl stellen.

3. Für den Salat die Tomate einritzen, überbrühen, abschrecken und häuten. Die Tomate vierteln, Saft und Kerne herausdrücken, das Fleisch würfeln. Die Schalotten pellen und fein würfeln. Die Haselnüsse hacken. Die Zitrone schälen, die Filets zwischen den Trennhäuten herausschneiden. Den Kopfsalat zerpflücken und anrichten. Den Spargel schälen und schräg in je 3 Stücke schneiden.

4. Die Butter in einer großen Pfanne zerlaufen lassen. Den Spargel darin unter Wenden langsam etwa 5 Minuten braten, salzen und pfeffern. Den Spargel mit der Schaumkelle aus dem Fett nehmen und abgetropft beiseite stellen.

5. Schalotten und Nüsse in der Spargelbutter anbraten, mit Balsamessig löschen und etwas einkochen lassen. Das Nußöl unterrühren. Den Spargel in der Sauce wenden. Tomatenwürfel und Zitronenfilets locker untermischen, die Krebse zugeben und leicht erwärmen.

6. Den warmen Spargelsalat auf dem Kopfsalat anrichten, mit abgezupftem Kerbel bestreuen und sofort servieren.

Zubereitungszeit: 1 Stunde
Pro Portion (bei 6 Portionen)
20 g E, 17 g F, 5 g KH = 255 kcal (1077 kJ)

Gefüllte Kalbsbrust mit roter Zwiebelmarmelade

Zum Foto rechts

Für 4 Portionen:
Fleisch und Füllung
1,5 kg Kalbsbrust mit Knochen (Mittelstück)
Salz, Pfeffer (a. d. Mühle)
1 Zwiebel
2 Knoblauchzehen
2 weiße Rübchen (oder 60 g Sellerieknolle)
30 g Butter
50 g Weißbrot (ohne Rinde)
100 ml Milch
frisch geriebene Muskatnuß
150 g Kalbshackfleisch
1 Eigelb
2 El Schnittlauchröllchen
Saucenfond
1/2 Bund Suppengrün
2 Zwiebeln
30 g Butterschmalz
1 Tl weiße Pfefferkörner
4 kleine frische Lorbeerblätter
2 Thymianzweige
4 Majoranzweige
400 ml Fleischbrühe (bei Umluft ca. 500 ml)
Zwiebelmarmelade
300 g rote Zwiebeln
1 El Majoranblättchen
50 g Butter
50 ml Rote-Bete-Saft
1 El Semmelbrösel
Salz, Pfeffer (a. d. Mühle)
frisch geriebene Muskatnuß

1. Die Kalbsbrust zum Füllen öffnen: Das Fleisch mit einem scharfen Messer vom Knochen lösen, aber nicht ganz abschneiden. Das grobe Fett entfernen. Den Fleischlappen von der inneren Seite aus noch einmal in der Mitte durch-, aber nicht abschneiden und das Fleisch nach außen aufklappen, salzen und pfeffern.

2. Für die Füllung Zwiebel, Knoblauch und Rübchen (oder Sellerie) putzen, fein würfeln und in der Butter glasig dünsten. Das Weißbrot hinzugeben, leicht anrösten und die Milch zugießen, vom Herd nehmen, kräftig mit Salz, Pfeffer und Muskat würzen und abkühlen lassen.

3. Das Kalbshack in einer Schüssel mit Eigelb und Schnittlauch verrühren. Die abgekühlte Weißbrotmasse unterkneten. Die Farce auf die Kalbsbrust streichen, die Ränder dabei frei lassen. Das Fleisch wie gewachsen zusammenklappen, mit Küchengarn zusammenbinden. Das Paket mit Salz und Pfeffer würzen.

4. Das Suppengrün und die Zwiebeln putzen und grob würfeln. Das Butterschmalz in einem Bräter sehr heiß werden lassen. Die Brust darin anbraten und mit der Knochenseite nach unten hineinsetzen. Das Gemüse rundum verteilen und anbraten. Pfefferkörner, Lorbeer, Thymian und Majoran zugeben, die Fleischbrühe angießen.

Feine brandenburgische Küche

5. Die Kalbsbrust im vorgeheizten Backofen auf der 2. Leiste von unten bei 150 Grad (Gas 1, Umluft 130 Grad) insgesamt 1 3/4–2 Stunden braten, dabei ab und zu mit dem Bratenfond beschöpfen (bei Umluft eventuell etwas Brühe nachgießen).

6. Inzwischen für die Zwiebelmarmelade die Zwiebeln pellen und nicht zu fein würfeln. Die Zwiebeln mit der Hälfte vom

nd sehr Sonntagsbraten-verdächtig: eine gefüllte Kalbsbrust mit roter Zwiebelmarmelade

Majoran in der Butter andünsten. Den Rote-Bete-Saft zugießen. Die Zwiebeln bei milder Hitze offen in etwa 25 Minuten unter gelegentlichem Rühren dicklich einkochen, aber nicht zerfallen lassen. Die Semmelbrösel unterrühren. Die Zwiebelmarmelade mit Salz, Pfeffer und Muskat würzen und mit dem restlichen Majoran bestreuen.

7. Die Kalbsbrust im ausgeschalteten Ofen 10 Minuten ruhenlassen. Inzwischen den Bratenfond durch ein Sieb in eine Sauteuse umgießen, dabei das Gemüse gut ausdrücken. Den Fond entfetten und bei starker Hitze offen auf etwa 200 ml einkochen und eventuell nachwürzen.

8. Das Küchengarn entfernen, die Kalbsbrust vom Knochen abtrennen und in 4 Scheiben schneiden.

Die Kalbsbrustscheiben mit der Bratensauce beschöpfen und mit der Zwiebelmarmelade auf vorgewärmten Tellern anrichten und servieren.

Dazu passen Salzkartoffeln und ein frischer grüner Salat.

Zubereitungszeit: 2 1/2 Stunden
Pro Portion 68 g E, 49 g F, 15 g KH = 770 kcal (3223 kJ)

Brandenburger Hochzeitssuppe

Für 4–6 Portionen:
1 kg schieres Kalbfleisch (Tafelspitz oder Blume)
Salz
1/2 Bund Suppengrün
1 Bund glatte Petersilie
500 g Spargel
200 g Möhren
150 g junge Erbsen (eventuell TK)

1. Das Fleisch mit 2 l kaltem Wasser und wenig Salz im offenen Topf langsam zum Kochen bringen.

2. Inzwischen das Suppengrün putzen und grob zerteilen. Von der Petersilie die Stiele abbrechen.

3. Suppengrün und Petersilienstiele zum Fleisch geben. Das Kalbfleisch in der Brühe offen und bei milder Hitze 1 1/2 Stunden leise kochen, dabei immer wieder sorgfältig abschäumen.

4. Inzwischen den Spargel schälen und in kurze Stücke schneiden. Die Köpfe beiseite legen. Die Möhren schälen, erst in dicke Scheiben, dann in kurze Stifte schneiden. Die Petersilienblätter fein hacken.

5. Das Fleisch aus der Bouillon nehmen. Die Bouillon durch ein Mulltuch wieder in den Topf gießen. Spargelstücke und Möhren darin bei milder Hitze 10 Minuten ziehen lassen. Spargelköpfe und Erbsen zugeben und 5 Minuten garen.

6. In der Zwischenzeit etwa 250 g Fleisch würfeln (den Rest für ein anderes Gericht, am besten für ein Frikassee, verwenden), mit der gehackten Petersilie in die Bouillon geben und 5 Minuten ziehen lassen. Die Hochzeitssuppe vor dem Servieren mit Salz abschmecken.

Zubereitungszeit: 2 Stunden
Pro Portion (bei 6 Portionen)
12 g E, 2 g F, 6 g KH = 93 kcal (389 kJ)

Frischlingsrücken aus der Dubrow

Für 6–8 Portionen:
1 Frischlingsrücken (2 1/2 kg, ohne Schwarte)
2 El Wacholderbeeren
Salz, schwarzer Pfeffer (a. d. Mühle)
40 g Butterschmalz
100 g durchwachsener Speck in Würfeln
1 gewürfelte Zwiebel
1 grob gewürfelte Möhre
250 ml Wildfond (a. d. Glas)
5 Scheiben Pumpernickel
10 zerstoßene Pimentkörner
3 El brauner Zucker
1/2 Tl Zimtpulver
1 Eiweiß, 60 g zerlassene Butter
Sauce
250 ml Rotwein
75 ml Schlagsahne
1 Tl Speisestärke

1. Das Fleisch waschen, trockentupfen und parieren: Die Fettschicht und die Sehnen abschneiden.

2. Die Wacholderbeeren in einem Mörser mit Salz und Pfeffer grob zerstoßen, den Frischlingsrücken damit einreiben und zugedeckt 1 Stunde beizen.

3. Das Butterschmalz im Bräter erhitzen, den Speck darin glasig braten, den Rücken zugeben und rundherum anbraten. Zwiebel- und Möhrenwürfel zugeben und kurz mitbraten.

4. Das Fleisch im vorgeheizten Backofen auf der 2. Leiste von unten bei 200 Grad (Gas 3, Umluft bei 180 Grad) 20 Minuten braten und dabei 150 ml Wildfond zugießen.

5. Den Pumpernickel mit Piment, Zucker und Zimt mischen. Das Eiweiß etwas verschlagen und unter die Brotmischung rühren.

6. Das Fleisch aus dem Ofen nehmen, die Brotmischung auf den Rücken streichen und gut festdrücken. Den Rücken bei gleicher Temperatur weitere 10 Minuten garen. Dabei häufig mit Butter beträufeln und die Kruste immer wieder andrücken.

7. Das Fleisch aus dem Bräter nehmen und zugedeckt im ausgeschalteten Backofen 10 Minuten ruhenlassen.

8. Inzwischen den Bratenfond durch ein Sieb in einen Topf umgießen (dabei die Röststoffe lösen und zugeben). Den Rotwein und den restlichen Wildfond zugießen und bei starker Hitze etwas einkochen lassen. Die Sahne zugießen und 5 Minuten leise köcheln lassen. Die Speisestärke mit etwas Wasser verquirlen, die Sauce damit binden. Salzen und pfeffern.

9. Das Fleisch tranchieren und zusammen mit der Sauce servieren.

Dazu passen Pfifferlinge und Salzkartoffeln.

Zubereitungszeit: 1 1/2 Stunden (plus Zeit zum Beizen)
Pro Portion (bei 8 Portionen)
53 g E, 32 g F, 22 g KH = 594 kcal (2487 kJ)

Aal grün in Sauerampfersauce

Für 4–6 Portionen:
1 frischer Aal (abgezogen, etwa 600 g)
1 Bund Sauerampfer (60 g)
1/2 Bund Dill
1/2 Bund glatte Petersilie
1 Zwiebel
Salz, 1 Tl Zucker
2 Spritzer Essig-Essenz
50 g Butter
20 g Mehl
100 ml Schlagsahne

1. Den Aal gründlich säubern. Die Rückenflossen mit der Küchenschere abschneiden. Den Aal in 4–6 Stücke schneiden.

2. Von allen Kräutern die Stiele abbrechen. Die Zwiebel pellen und würfeln.

3. Kräuterstiele, Zwiebel, Salz, Zucker und die Essig-Essenz 5 Minuten in 1/2 l Wasser kochen lassen. Die Hitze herunterschalten. Die Aalstücke in den Sud legen und darin bei milder Hitze 20 Minuten ziehen lassen.

4. Gleichzeitig die Butter im Topf schmelzen lassen, das Mehl unterrühren und gut anschwitzen. 1/4 l Aalsud abnehmen, unter Rühren in die Mehlschwitze gießen. Die Sahne unterrühren. Die Sauce bei milder Hitze offen 15 Minuten leise kochen lassen.

5. Inzwischen die Kräuter getrennt hacken. Die Sauce mit Salz und Zucker würzen. Dill und Petersilie unterziehen.

6. Den Aal aus dem Sud heben, gut abtropfen lassen und auf stark vorgewärmten Tellern anrichten.

7. Den Sauerampfer (bis auf 1 El) erst unmittelbar vor dem Servieren unter die Sauce ziehen, damit er sich nicht braun verfärbt. Die Sauce über die Aalstücke gießen und mit dem restlichen frischen Sauerampfer bestreuen.

Zubereitungszeit: 30 Minuten
Pro Portion (bei 6 Portionen)
14 g E, 33 g F, 4 g KH = 388 kcal (1621 kJ)

Nicht mondsüchtig

„Aal grün" ist ein urbrandenburgisches Fischgericht, für das der Aal knackfrisch sein muß und nicht zu fett sein darf.
In ordentlichen Gasthäusern steht Aal nur bei Neumond auf der Speisekarte. Bei Vollmond geht das lichtscheue Getier nämlich nicht in die Reusen.

Zilles Zanderkoteletts

Für 4–6 Portionen:
1,5 kg Zander im Stück, mit Gräte (vom Fischhändler ausgenommen und geschuppt)
Saft von 1 Zitrone
Salz, Pfeffer (a. d. Mühle)
2 El Mehl
40 g Butterschmalz
50 g Butter
1 Bund gehackte Petersilie

1. Den Zander waschen, trockentupfen und Kopf, Rücken- und Seitenflossen abschneiden. Den Zander mit einem Sägemesser in 1–1,5 cm dicke Scheiben schneiden (das kann auch schon der Fischhändler machen). Die Zanderkoteletts mit Zitronensaft beträufeln, salzen und pfeffern und kurz im Mehl wenden.

2. Das Butterschmalz in einer großen Pfanne erhitzen. Die Zanderkoteletts darin von beiden Seiten je etwa 5 Minuten braun anbraten.

3. Die Butter zerlassen und etwas aufschäumen lassen. Die Zanderfilets auf einer vorgewärmten Platte anrichten, mit der Butter begießen, mit der gehackten Petersilie bestreuen und servieren.

Dazu schmeckt ein lauwarmer Kartoffelsalat mit Gurken (S. 64) am besten.

Zubereitungszeit: 30 Minuten
Pro Portion 49 g E, 22 g F, 8 g KH = 430 kcal (1802 kJ)

Wanderer Zille

Der geniale Berliner Zeichner Zille ist, wie jeder Berliner, am Sonntag ins Grüne gewandert. Er hat die Frischluftleidenschaft der Hauptstädter und ihre „Hier können Familien Kaffee kochen"-Idylle mit Bleistift und Zeichenblock festgehalten. Seine Vorliebe für gebratene Havelfische, vor allen Dingen für Zander, war groß.

Mändelchenpudding mit Erdbeersauce

Für 4–6 Portionen:
100 g gehäutete Mandeln
1 1/2 Blatt weiße Gelatine
2 Vanilleschoten
1/4 l Milch
Salz
80 g Zucker
40 g Grieß
200 ml Schlagsahne
500 g Erdbeeren
50 g Crème fraîche
1/2 Pk. Vanillezucker
1 El gehackte Pistazienkerne
Zitronenmelisse

1. Die Mandeln durch die Mühle drehen. Die Gelatine in reichlich kaltem Wasser einweichen. Die Vanilleschoten längs aufschlitzen und das Mark herauskratzen.

2. 3–4 El Wasser und die Milch in einen Topf mit schwerem Boden gießen. Salz, Vanilleschoten und -mark und die Mandeln zugeben. 50 g Zucker auf die Oberfläche streuen. Die Mischung langsam zum Kochen bringen.

3. Den Grieß unter Rühren in die kochende Milch einrieseln lassen, unter Rühren 2–3 Minuten kochen. Den Grießbrei in eine Metallschüssel umfüllen und die gut ausgedrückte Gelatine darin auflösen, gut durchrühren.

4. Den Pudding im Eiswasserbad fast kalt schlagen. Die Vanilleschoten herausnehmen. Die Sahne (bis auf 1 El) steif schlagen und unter den Pudding heben. Den Mändelchenpudding kalt stellen.

5. 12 schöne Erdbeeren beiseite legen, den Rest putzen und mit dem restlichen Zucker pürieren.

6. Crème fraîche mit der restlichen Sahne und dem Vanillezucker gut verrühren.

7. Die Erdbeersauce auf Teller verteilen. Je 1 Tl Vanillecreme mit einem Holzstäbchen darin verteilen.

8. Den Pudding mit einem in heißes Wasser getauchten Spooner (oder Eßlöffel) abstechen und auf die Teller setzen, mit Pistazien, den beiseitegelegten Erdbeeren und etwas Zitronenmelisse garnieren und servieren.

Zubereitungszeit: 45 Minuten
Pro Portion (bei 6 Portionen)
8 g E, 25 g F, 29 g KH = 377 kcal (1579 kJ)

Bei Wolfgang Hase gibt es brandenburgische Küche in wunderbarer Qualität: Restaurant C+W-Gourmet, Eichwalde bei Berlin, Bahnhofstr. 9 Tel. 030/675 84 23

29. HARZ

Pochierte Forellen in Kräutersauce: Johann Lafer hat den Fisch mit Kräutern in einen Gefrierbeutel gelegt und dann sanft pochiert. So geht das schöne Aroma nicht verloren

29. HARZ

Pochierte Forellen mit Kräutersauce

Zum Foto auf den Seiten 148/149

Für 4 Portionen:
4 Forellen (à 250–300 g, küchenfertig)
Salz
weißer Pfeffer (a. d. Mühle)
100 g gemischte Kräuter:
Sauerampfer, glatte Petersilie, Kerbel und Schnittlauch
100 ml Distelöl
20 g Walnußkerne
50 g Schalotten
50 g Butter
300 ml Fischfond (a. d. Glas)

1. Die Forellen waschen, trocknen und von innen und außen mit Salz und Pfeffer würzen. Jede Forelle in einen 3-l-Gefrierbeutel geben. Wasser in einem breiten Topf zum Sieden bringen.

2. Die Kräuter grob hacken und mit Öl und Walnußkernen im Mixer fein zerkleinern. Die Kräuterpaste direkt im Beutel auf den Forellen verreiben.

3. Die Luft aus den Beuteln drücken. Die Beutel fest verschließen und in den Topf legen. (Die verschlossenen Enden über den Topfrand lappen lassen, damit wirklich kein Wasser eindringen kann.) Die Beutel mit einem kleineren Topfdeckel beschweren. Die Forellen 12–15 Minuten ziehen lassen.

4. Inzwischen die Schalotten pellen und sehr fein hacken. 30 g Butter in einer Sauteuse schmelzen, die Schalotten darin unter Rühren glasig dünsten. Den Fischfond zugießen und ohne Deckel bei starker Hitze auf gut 150 ml einkochen.

5. Die Beutel aus dem Wasser nehmen und aufschlitzen. Die Forellen herausheben und auf vorgewärmten Tellern anrichten.

6. Die Kräuterpaste aus den Beuteln in den Saucenfond geben, die restliche Butter in Stückchen mit dem Schneidstab untermixen. Die Sauce mit Salz und Pfeffer würzen und über die Forellen gießen.

Einen warmen Gurkensalat oder Stampfkartoffeln mit lauwarmer Pfifferlings-Vinaigrette dazu servieren.

Zubereitungszeit: 45 Minuten
Pro Portion 43 g E, 40 g F, 3 g KH = 546 kcal (2289 kJ)

Gurkensalat und Stampfkartoffeln mit Pfifferlings-Vinaigrette

Warmer Gurkensalat

Zum Foto oben

Für 4–6 Portionen:
1 El Senfkörner
1 Salatgurke (500 g), Salz
50 g Butter, 1 El Zucker
3 El Weißwein, 1 Tl Senf
30 g Schmand, 30 g Crème double
weißer Pfeffer (a. d. Mühle)
1 El gehackter Estragon

1. Die Senfkörner 30 Minuten in kaltem Wasser einweichen. Die Gurke schälen und halbieren. Die Kerne mit einem Löffel herauskratzen. Die Gurke in dünne Scheiben schneiden.

2. Die Gurkenscheiben mit Salz bestreuen und in einem mit einem Mulltuch ausgelegten Sieb 20 Minuten abtropfen lassen. Im Tuch kräftig ausdrücken und auf dem Arbeitsbrett wieder etwas auflockern.

3. Die Butter bei mittlerer Hitze aufschäumen lassen, den Zucker darin unter Rühren goldbraun karamelisieren. Die Senfkörner abtropfen lassen und mit den Gurken in den Karamel rühren, bei etwas stärkerer Hitze darin anschmoren, mit Weißwein ablöschen und mit Senf würzen.

4. Schmand und Crème double in eine Schüssel geben, die Gurken unterheben, mit Salz, Pfeffer und Estragon würzen.

Den lauwarmen Gurkensalat entweder solo oder zu den Forellen oder den Stampfkartoffeln servieren.

Zubereitungszeit: 45 Minuten
Pro Portion (bei 6 Portionen)
1 g E, 10 g F, 5 g KH = 116 kcal (484 kJ)

Stampfkartoffeln mit lauwarmer Pfifferlings-Vinaigrette

Zum Foto oben

Für 4 Portionen:
750 g Kartoffeln (mehligkochend)
Salz, 400 g Pfifferlinge
100 g durchwachsener Speck
100 g Schalotten, 30 g Butterschmalz
3 El Weißweinessig
100 ml Geflügelfond (a. d. Glas)
Pfeffer (a. d. Mühle)
1 Tl gehackter Liebstöckel, 20 g Butter

1. Die Kartoffeln schälen, grob würfeln und in gesalzenem Wasser gar kochen. Inzwischen die Pfifferlinge putzen und eventuell halbieren. Den Speck ohne Schwarte fein würfeln. Die Schalotten pellen und sehr fein würfeln.

2. Die Pfifferlinge im heißen Butterschmalz anbraten, den Speck und die Schalotten zugeben und bei starker Hitze etwa 3 Minuten braten. Zuerst den Essig, dann den Geflügelfond zugießen. Die Pilze mit Salz, Pfeffer und Liebstöckel würzen und vom Herd nehmen.

3. Die Kartoffeln abgießen und völlig abdämpfen lassen, mit der Butter grob zerstampfen und in eine vorgewärmte Schüssel geben. Die Pfifferlinge darübergießen und sofort servieren.

Zubereitungszeit: 50 Minuten
Pro Portion 6 g E, 32 g F, 24 g KH = 404 kcal (1696 kJ)

KLASSIKER

Eislebener Knäzchen

Für 8 Stück:
200 g Zwiebeln
500 g gemischtes Hackfleisch
2 Eier, 4 El Semmelbrösel
1 El scharfer Senf
Salz, Pfeffer (a. d. Mühle)
2 El grob gehackte Kümmelkörner
2 El gehackter Majoran
2 El Öl, 1 El Mehl
150 g Butter
4 Scheiben Bauernbrot

1. Die Zwiebeln pellen, 2 Zwiebeln fein würfeln, die anderen in Ringe schneiden.

2. Hackfleisch, Zwiebelwürfel, Eier, Semmelbrösel, Senf, Salz, Pfeffer, Kümmel und 1 El Majoran zu einem glatten Teig verkneten. Mit nassen Händen 8 Klöße daraus formen und flachdrücken.

3. Das Öl erhitzen und die Hackfladen (Knäzchen) bei milder Hitze darin von jeder Seite 6 Minuten braten.

4. Die Zwiebelringe in Mehl wälzen und in 20 g Butter goldbraun braten.

5. Den restlichen Majoran mit der restlichen Butter mischen, herzhaft mit Salz und Pfeffer würzen. Die Knäzchen mit den gebratenen Zwiebelringen anrichten.

Dazu mit der Majoranbutter bestrichenes Bauernbrot reichen.

Zubereitungszeit: 45 Minuten
Pro Stück 30 g E, 60 g F, 14 g KH = 712 kcal (2983 kJ)

Harzer Tatar

Für 8 Portionen:
400 g Harzer Käse
2 gewürfelte Zwiebeln
150 g weiche Butter
2 El Senf
2 Tl Paprikapulver
3 Eigelb, 150 g saure Sahne
8 Scheiben Bauernbrot
3 Tl Crème fraîche
1 El Schnittlauchröllchen

1. Den Käse fein hacken und mit den Zwiebeln mischen.

2. Butter, Senf, Paprika, Eigelb und saure Sahne verrühren. Mit dem Käse mischen und einige Minuten durchziehen lassen.

3. Den Käse auf den Brotscheiben anrichten, Crème fraîche und Schnittlauch darauf geben und servieren.

Zubereitungszeit: 20 Minuten
Pro Portion 26 g E, 29 g F, 16 g KH = 433 kcal (1812 kJ)

Hackus und Knieste

Knieste nennt man im Harz halbierte Kartoffeln, die man mit Salz, Pfeffer und Kümmel bestreut und im Backofen backt. Sie werden heiß serviert: immer mit herzhaft gewürztem Hackus (Hackepeter).

Diebichen (Mehlklöße mit jahreszeitlich wechselnden Beilagen)

Für 6 Portionen:
500 g Mehl
2 Eier (Gew.-Kl. 2)
200 ml Milch
Salz
50 g geschmolzene Butter

1. Aus Mehl, Eiern, Milch und 1 Prise Salz einen festen Teig rühren, zum Schluß die Butter unterkneten.

2. In einem großen Topf Salzwasser sprudelnd aufkochen und die Hitze herunterschalten. Mit zwei nassen Teelöffeln walnußgroße Klöße aus dem Teig abstechen und im siedenden Salzwasser 10–15 Minuten gar ziehen lassen. Die Klößchen mit der Schaumkelle herausheben, gut abtropfen lassen und mit Beilagen servieren.

Zubereitungszeit: 30 Minuten
Pro Portion 12 g E, 11 g F, 61 g KH = 395 kcal (1651 kJ)

Beilagen-Kalender

Von Januar bis März: zerlassene Butter und suppig gekochtes Pflaumenmus.

Im frühen Frühjahr: Die ersten Wildkräuter und junger Raps werden kleingehackt, zu Sauce gekocht und über die Diebichen geschöpft.

Im Sommer: Beerenobst und Kirschen, die in Milchsuppe serviert werden. Oder Fruchtstücke, die direkt in den Klößchenteig kommen, zu denen dann noch ein warmes Fruchtkompott serviert wird.

Im Herbst: Pflaumen, Äpfel und Birnen als Kompott.

Im November (nach Martini): süß-sauer abgeschmecktes Gänseklein.

Ohne jungen Knoblauch und frischen Bärlauch geht in der Harzer Küche gar nichts: Eduard Prinz von Anhalt mit Johann Lafer am Harzer Büffet

30. SAARLAND

Lafers grenzübergreifender Sahne-Erdbeer-Kuchen:
Die Idee kommt aus Frankreich, und die
Erdbeeren stammen aus der Lisdorfer Au bei Saarlouis

30. SAARLAND

Lafers Sahne-Erdbeer-Kuchen

Zum Foto auf den Seiten 152/153

Für 8 Stücke:
120 g zimmerwarme Butter
210 g Zucker, Salz
1 Ei (Gew.-Kl. 3), 1 El Schlagsahne
abgeriebene Schale von je 1 Zitrone und
1 Orange (unbehandelt)
180 g Mehl
Mehl für die Arbeitsfläche
600 g Erdbeeren
80 ml Orangensaft, 40 ml Orangenlikör
100 g rotes Johannisbeergelee
700 ml Schlagsahne, 3 Blatt Gelatine

1. Die Butter mit 50 g Zucker und 1 Prise Salz leicht verrühren. Ei, Sahne, Orangen- und Zitronenschale zugeben. Das Mehl darauf sieben. Alle Zutaten schnell zu einem glatten Teig verarbeiten, in Klarsichtfolie wickeln und mindestens 1 Stunde im Kühlschrank kalt stellen.

2. Den Teig auf der bemehlten Arbeitsfläche auf die Größe des Springformbodens (22 cm ø) ausrollen, mit dem Springformrand ausstechen und vorsichtig auf den Boden der Form legen. Den Boden in die Form einspannen und mit einer Gabel mehrmals einstechen. Den Teigboden mindestens 1 Stunde kalt stellen (dann verzieht er sich beim Backen nicht).

3. Den Tortenboden im vorgeheizten Backofen auf der 2. Leiste von unten bei 180 Grad (Gas 2–3, Umluft 170 Grad) 20 Minuten backen, danach abkühlen lassen.

4. In der Zwischenzeit die Erdbeeren putzen, waschen, abtropfen lassen und am Stielansatz flach abschneiden.

5. Den Orangensaft mit 80 g Zucker aufkochen, in 5 Minuten sirupartig einkochen und dann abkühlen lassen.

6. Den Orangensirup mit Orangenlikör würzen. Den Tortenboden damit bestreichen und auf eine Kuchenplatte setzen.

7. Das Johannisbeergelee leicht erwärmen und die Erdbeeren darin glasieren. Die Erdbeeren mit der Spitze nach oben auf den Tortenboden setzen (spiralfömig von innen nach außen).

8. Die Sahne mit dem restlichen Zucker steif schlagen. Die Gelatine in kaltem Wasser einweichen und tropfnaß warm auflösen. Etwas Schlagsahne in die aufgelöste Gelatine rühren. Die Gelatine zügig unter die restliche Schlagsahne heben. Die Schlagsahne in einen Spritzbeutel mit Lochtülle (12) füllen.

9. Einen Tortenring (26 cm ø) ausfetten und mit Klarsichtfolie auskleiden. Den Ring um den Kuchen setzen. Den Zwischenraum dick und spiralförmig mit Schlagsahne ausfüllen. Die Torte mindestens 1 Stunde kalt stellen. Vor dem Servieren den Ring vorsichtig abheben.

Zubereitungszeit: 1 1/4 Stunden (plus Kühlzeiten)
Pro Stück 7 g E, 41 g F, 62 g KH = 647 kcal (2711 kJ)

Kalbshaxenscheiben im Gemüsebett

Zum Foto rechts

Für 4 Portionen:
4 Kalbshaxenscheiben (à 250–300 g)
Salz, Pfeffer (a. d. Mühle)
50 g Mehl
50 g Butterschmalz
80 g Porreestücke
80 g Selleriewürfel
80 g Möhrenscheiben
100 g grobe Zwiebelwürfel
3 Lorbeerblätter
2 Knoblauchzehen
2 Rosmarinzweige
3 Thymianzweige
200 ml Weißwein
500 ml Fleischbrühe
175 g Perlzwiebeln
200 g Bundmöhren
1 Bund Frühlingszwiebeln
200 g Kartoffeln
60 g Butter
200 g Champignons
2 El gehackte Petersilie

1. Die Fettränder der Kalbshaxenscheiben rundherum einschneiden. Das Fleisch von beiden Seiten mit Salz und Pfeffer würzen. Die Scheiben im Mehl wenden, das überschüssige Mehl abklopfen.

2. Das Butterschmalz im Bräter erhitzen, das Fleisch darin von beiden Seiten anbraten. Das vorbereitete Gemüse (Porree, Sellerie, Möhren, Zwiebeln) mit anbraten. Lorbeer, Knoblauch, Rosmarin und Thymian zugeben und kurz mitbraten. 100 ml Weißwein und 200 ml Fleischbrühe zugießen und aufkochen lassen. Die Hitze zurückschalten, das Fleisch zugedeckt etwa 1 1/4 Stunden schmoren. Dabei nach und nach den restlichen Weißwein und die restliche Fleischbrühe zugießen.

3. In der Zwischenzeit die Perlzwiebeln pellen. Die Bundmöhren schälen, dabei etwas Grün stehen lassen. Die Frühlingszwiebeln putzen und in 2 cm lange Stücke schneiden. Die Kartoffeln schälen und in 1x1 cm große Würfel schneiden.

4. 30 g Butter erhitzen, die Perlzwiebeln und die Kartoffeln darin anbraten. 200 ml Schmorfond durch ein Sieb zugießen. Das Gemüse zugedeckt 20–25 Minuten garen. Nach 10 Minuten die Bundmöhren zugeben. Nach 15–20 Minuten die Frühlingszwiebeln zugeben. Das Gemüse mit Salz und Pfeffer würzen.

5. Die Champignons in 20 g Butter anbraten, salzen, pfeffern und die restliche Butter und die Petersilie untermischen.

6. Das Gemüse und die Pilze auf eine vorgewärmte Platte geben. Die Kalbshaxenscheiben darauf anrichten. Die restliche Sauce durch ein Sieb darüber gießen und servieren.

Zubereitungszeit: 1 3/4 Stunden
Pro Portion 46 g E, 34 g F, 22 g KH = 602 kcal (2515 kJ)

Kalbshaxenscheiben im Gemü:

ett: weil das Saarland keine Industriesteppe, sondern ein üppiger Gemüsegarten ist

Saarbrücker Fleischpastete

Für 6–8 Portionen:
350 g Schweinekamm (ohne Knochen)
350 g Kalbfleisch
350 g Rindfleisch
1 Zwiebel
3 Lorbeerblätter
6 Gewürznelken
8 Wacholderbeeren
1 Tl Korianderkörner
3/4 l Weißwein
1/8 l milder Weinessig
300 g Mehl
15 g Hefe
1 Tl Zucker
gut 1/8 l lauwarme Milch
75 g Butter
1 Ei
Salz
Mehl zum Bestäuben
Fett für die Form
3 El Semmelbrösel
250 g feines Bratwurstbrät
Pfeffer (a. d. Mühle)
frisch geriebene Muskatnuß
1/4 l saure Sahne
1 Eigelb

1. Das Fleisch in 2 cm große Würfel schneiden und in eine Porzellan- oder Steingutschüssel geben. Gehackte Zwiebel, Lorbeerblätter, Nelken, zerdrückte Wacholderbeeren und Koriander untermischen. Wein und Essig darüber gießen, die Schüssel zudecken. Das Fleisch mindestens 24 Stunden marinieren, dabei ab und zu durchrühren.

2. Das Mehl in eine Schüssel geben. In die Mitte eine Mulde drücken. Dort hinein die Hefe bröckeln, Zucker und 5 El von der lauwarmen Milch zugeben und mit wenig Mehl zum Vorteig verrühren, mit einem Tuch zudecken und an einem warmen Platz 30 Minuten gehen lassen.

3. Dann restliche Milch, Butter, Ei und 1 Tl Salz zugeben und kneten, bis der Teig glatt ist und sich vom Schüsselrand löst. Den Teig zu einer Kugel formen und zugedeckt noch einmal 50 Minuten gehen lassen.

4. Entsprechend der Größe der Springform (24 cm Ø) den Teig auf einer leicht bemehlten Arbeitsfläche zu zwei runden Platten ausrollen. Die Platte für den Boden muß etwas größer sein, weil sie bis zum Springformrand hochgezogen wird. Die Springform einfetten, die größere Teigplatte hineinlegen und festdrücken, den über den Rand stehenden Teig abschneiden. 2 El Semmelbrösel auf den Teigboden streuen.

5. Das Fleisch aus der Marinade nehmen und trockentupfen. Restliche Semmelbrösel und das Bratwurstbrät untermischen. Mit Salz, Pfeffer und Muskat würzen, in die Springform geben und mit saurer Sahne begießen. Den Teigdeckel auflegen und die Ränder gut andrücken. Den Deckel mit Eigelb bestreichen, dann mit einer Gabel mehrmals einstechen.

6. Die Form im vorgeheizten Backofen auf die 2. Leiste von unten stellen. Die Pastete bei 180 Grad (Gas 2–3, Umluft 160 Grad) 1 1/2 Stunden backen. Nach etwa 1 Stunde mit Pergamentpapier oder Alufolie abdecken.

7. Die Pastete nach dem Backen aus der Form nehmen, wie eine Torte aufschneiden und heiß servieren.

Zubereitungszeit: 2 Stunden
(plus Zeiten zum Marinieren und Gehen)
Pro Portion (bei 8 Portionen)
39 g E, 33 g F, 32 g KH = 582 kcal (2435 kJ)

E&T: Anstelle von „dreierlei" Fleisch wird oft auch nur 1 kg Schweinekamm ohne Knochen gewürfelt. Bevorzugt man diese Methode, gibt man statt Weißwein einen guten Rotwein in die Marinade und macht die Fleischfüllung statt mit Bratwurst mit 250 g Schweinemett, das gut gewürzt ist, geschmeidig.

Festtagsessen

Die Fleischpastete ist im Saarland ein ausgesprochenes Festtagsessen. Wie gut sie wird, hängt stark von der Qualität von Wein und Essig ab. Wobei ersterer von der Saar oder von der Mosel kommen sollte und letzterer unbedingt ein sehr milder Weißweinessig sein muß.

Saarländische Lyonersuppe

Für 6 Portionen:
100 g rote Bete
Salz
1 kleiner Kopf Wirsingkohl (750 g)
200 g Kalbfleischbrät
1 Stück Lyoner Fleischwurst (300 g)
10 g weiche Butter
200 g Kartoffeln
100 g Möhren
100 g Sellerie
100 g Porree
1 großes Bund Schnittlauch
1 Bund Petersilie
1 l doppelte Kraftbrühe (a. d. Dose)
Pfeffer (a. d. Mühle)

1. Rote Bete waschen, in Salzwasser 1 Stunde garen, schälen und in 1/2 cm große Würfel schneiden.

2. Inzwischen die äußeren, dunklen Kohlblätter entfernen. Die Innenblätter ablösen und die Strünke flachschneiden. Die hellen Innenblätter anderweitig verwenden.

3. Die vorbereiteten Wirsingblätter in kochendem Salzwasser 4 Minuten blanchieren, abschrecken, gut trockentupfen, auf einem Küchentuch übereinanderlegen und zu einem Quadrat (30x30 cm) ausbreiten.

4. 100 g Kalbfleischbrät mit dem Spritzbeutel (große Lochtülle) der Länge nach als Rolle auf das untere Drittel der Wirsingblätter spritzen und daraus mit einer nassen Palette einen 3 cm breiten, glatten Streifen streichen. Ebenso breite, 1/2 cm hohe Wurstscheiben (ohne Haut) darauf legen (möglichst nicht mehr als 2 Stücke). Das restliche Brät darauf spritzen und wieder glattstreichen. Die Wurst muß völlig eingehüllt sein. Die Wirsingblätter jetzt mit Hilfe des Küchentuchs zu einer festen Rolle aufrollen.

5. Ein passend großes Stück Alufolie mit Butter bepinseln. Die Lyonerrolle fest darin einwickeln, die Enden fest verschließen. Die Rolle mit Küchengarn verschnüren, in kochendes Wasser geben und unter dem Siedepunkt in 25 Minuten gar ziehen lassen.

6. Inzwischen die Kartoffeln schälen und 1/2 cm groß würfeln. Möhren und Sellerie putzen, auch 1/2 cm groß würfeln. Porree putzen und in feine Streifen schneiden. Schnittlauch in feine Röllchen schneiden, Petersilie fein hacken.

7. Kartoffeln in Salzwasser 3 Minuten garen. Möhren, Sellerie und Porree zugeben, 3 Minuten mitgaren. Gemüse in ein Sieb schütten und abtropfen lassen.

8. Die Brühe erhitzen. Gemüsewürfel und Kräuter hineingeben, mit Salz und Pfeffer abschmecken. Die Lyonerrolle aus der Folie nehmen, in 18 Scheiben schneiden, in vorgewärmten Tellern anrichten, mit der Suppe auffüllen und servieren.

Zubereitungszeit: 1 1/2 Stunden
Pro Portion 17 g E, 23 g F, 8 g KH = 304 kcal (1273 kJ)

Herzdriggerte (oder Gefillte) mit Schnittlauchsauce

Für 6–8 Klöße:
500 g rohe Kartoffeln (mehligkochend)
500 g Pellkartoffeln (mehligkochend)
2 El Mehl
2 Eier
Salz
250 g gemischtes Hackfleisch
Pfeffer (a. d. Mühle)
frisch geriebene Muskatnuß
2 El gehackte Petersilie
1 Zwiebel
150 g Butter
4 El Semmelbrösel
2 El Schnittlauchringe

1. Die Kartoffeln schälen, reiben und in einem Tuch gut ausdrücken. Pellkartoffeln reiben oder durch den Fleischwolf drehen und zu den rohen Kartoffeln geben. Mehl, Eier und etwas Salz unterrühren. Den Teig etwa 30 Minuten ruhenlassen.

2. In der Zwischenzeit die Füllung zubereiten: Das Hackfleisch mit Salz, Pfeffer und Muskat würzen, die Petersilie untermischen. Die Zwiebel würfeln und in 1 El Butter anrösten. Das Fleisch zugeben und kurz anbraten.

3. In einem großen Topf reichlich leicht gesalzenes Wasser zum Kochen bringen. Mit nassen Händen aus dem Teig 6–8 Klöße formen. Jeden Kloß in der Mitte eindrücken, etwas Fleischfüllung in die Vertiefung geben, den Teig darüber fest zusammenklappen. Die Klöße in siedendem Wasser garen. Sobald sie an der Oberfläche schwimmen, sind sie fertig.

4. Inzwischen die Semmelbrösel in der restlichen Butter leicht anrösten, die Schnittlauchringe untermischen und kurz mit ziehen lassen.

Beim Essen reichlich Schnittlauchsauce über die gefüllten Klöße gießen. Dazu Endiviensalat reichen.

Zubereitungszeit: 1 1/2 Stunden
Pro Portion (bei 8 Klößen)
11 g E, 22 g F, 22 g KH = 337 kcal (1410 kJ)

Hoorige Knepp

Für 6–8 Portionen:
1,5 kg rohe Kartoffeln (mehligkochend)
500 g gekochte Kartoffeln (mehligkochend)
1 Ei
Salz, Pfeffer (a. d. Mühle)
1–2 Zwiebeln
1 Brötchen (altbacken)
2 El Mehl, 70 g Butter
1/4 l saure Sahne

1. Die Kartoffeln schälen. Die rohen Kartoffeln reiben, den Brei in einem Sieb abtropfen lassen. Die gekochten Kartoffeln kalt werden lassen, dann auch reiben oder durch den Fleischwolf drehen.

2. Die Kartoffeln mit dem Ei mischen, salzen und pfeffern. Die Zwiebeln in den Teig reiben. Das eingeweichte, gut ausgedrückte Brötchen etwas zerpflücken und ebenfalls zugeben. Alles mischen und mit so viel Mehl verkneten, bis sich der Teig von der Schüssel löst.

3. 6–8 Klöße aus dem Teig formen und in reichlich siedendem Salzwasser garen, bis sie an der Oberfläche schwimmen. Dann noch weitere 2–3 Minuten im Wasser lassen. Anschließend mit einer Schaumkelle herausheben, gut abtropfen lassen und in eine Schüssel geben, in der am Boden eine umgedrehte Untertasse liegt.

4. Die Butter in einer Pfanne bräunen. Die Klöße erst mit der gebräunten Butter und dann mit der sauren Sahne übergießen.

Zubereitungszeit: 1 1/4 Stunden
Pro Portion (bei 8 Portionen)
7 g E, 12 g F, 36 g KH = 285 kcal (1188 kJ)

Grüne Knepp (Knöpfe)

Für 4 Portionen (8–12 Klöße):
500 g Spinat, 50 g Butter
1 gehackte Zwiebel
Salz, Pfeffer (a. d. Mühle)
frisch geriebene Muskatnuß,
200 g Semmelbrösel, 2 Eier
1 Bund gehackte Petersilie, 1 El Mehl

1. Den Spinat waschen und grob hacken. Die Butter zerlassen, die Zwiebel darin glasig braten. Den Spinat zugeben und 5 Minuten dünsten, dann abkühlen lassen. Die übrigen Zutaten zugeben und alles zu einem Teig verarbeiten. Einen großen Kloß daraus formen und 1 Stunde an einem kühlen Platz ruhenlassen.

2. Mit nassen Händen aus dem Teig Klöße formen. Die Klöße in siedendem Salzwasser gar ziehen lassen. Sie sind gar, wenn sie an der Oberfläche schwimmen; dann sollten sie allerdings noch 2–3 Minuten zum Ausquellen der Kartoffelstärke im Wasser bleiben.

Zubereitungszeit: 1 Stunde (plus Zeit zum Ruhen für den Teig)
Pro Portion 12 g E, 15 g F, 41 g KH = 354 kcal (1481 kJ)

Die Autorin Nordgard Kohlhagen ist Saarländerin und kann wunderbar von ihrer Heimat erzählen

REZEPTREGISTER

*** Diese Rezepte hat der Zwei-Sterne-Koch Johann Lafer in der TV-Serie „Frische Regional-Küche – Genießen auf gut deutsch" gekocht.*

A

B

C

D

E

F

G

Literatur

Unvergessene Küche, Renate Peiler, »E&T«, Hamburg

Das neue Buch der Desserts, »E&T«, Hamburg

Deutsche Küche, Rotraud Degner, Mosaik-Verlag, München

Aus Deutschlands Küchen, Horst Scharfenberg, Hallwag, Bern u. Stuttgart

Kulinarische Streifzüge (Sachsen, Thüringen, Berlin u. Brandenburg, Odenwald), Sigloch Edition, Künzelsau

Gekocht u. gebacken in Südthüringen, Margarete Braungart, Fachbuchverlag Leipzig

Der Norddeutsche Küchenkalender, Der Sächsische Küchenkalender, Südwest Verlag, München

11x Deutsche Küche, B. Neuner-Duttenhofer, Droemer Knaur, München

Oberlausitzer Kochbuch, Oberlausitzer Verlag, Waltersdorf

Rheinhessisches Kochbuch, Kirsten Beisiegel, Rheinhessische Druckwerkstätte, Alzey

P

Q

R

S

T

U

V

W

Z